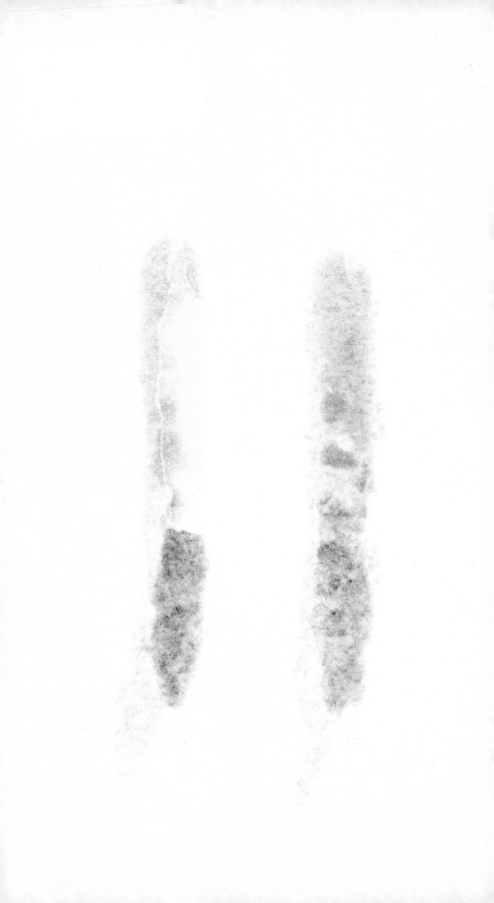

Los años del verdugo

MAURO EIROA

Los años del verdugo

451.http://

ISBN 978-84-96822-70-2

PRIMERA EDICIÓN
2009

DIRECCIÓN DE ARTE
Departamento de Imagen y Diseño GELV

DISEÑO DE COLECCIÓN
holamurray.com

MAQUETACIÓN
Departamento de Producción GELV

IMPRESIÓN

 Talleres Gráficos GELV
(50012 Zaragoza)
Certificado ISO

© DEL TEXTO: Mauro Eiroa, 2009

© DE LA EDICIÓN: 451 Editores, 2009

Xaudaró, 25
28034 Madrid - España

DEPÓSITO LEGAL: Z. 309-09
IMPRESO EN ESPAÑA

tel 913 344 890 - fax 913 344 894

info451@451editores.com
www.451editores.com

Todos hemos experimentado la inutilidad de intentar comunicar nuestros recuerdos.

«¿Ves esa casa? Pues ahí viví yo», decimos; y el edificio —la mera sensación de la dirección— despierta en nosotros un sinfín de sensaciones de gozo, tristeza y emoción. Pero nuestro interlocutor no puede sino sonreír educadamente.

David MAMET
«Recuerdos», en *La ciudad de las patrañas*

(

OTROS RECUERDOS SE FUERON YA POR EL SUMIDERO, PERO NO EL agobio de la lana sobre el cutis ardiente de la cara, ceñida como una media, sofocante hasta decir basta. Pero incluso el picor del verdugo —la prenda que más odié en mi infancia— menguaba ante la visión de la nieve recién posada, a punto para un día interminable de carreras, pelotazos y aventuras.

Un buen palmo de nieve cubría aquella mañana el descampado, territorio cotidiano de las exploraciones y rebuscas de los chavales del barrio. Bueno, no de todos; los más valientes se aventuraban hasta las lindes de la Quinta del Álamo, donde crecían media docena de chabolas al calor de las ruinas luminosas de lo que fue una próspera fábrica de hielo. Para la mayoría de nosotros, sin embargo, la Quinta era territorio apache y el descampado la última frontera.

Había nevado toda la noche, de modo que cuando la Madre nos permitió salir a la calle, la cosecha de copos aún alcanzaba para impedir circular a los cuatro coches que entonces aparcaban sobre las aceras. De sobra para suspender las clases. Así que ese día habíamos desayunado ahítos de ansiedad, el vaso de colacao calentándonos las manos, asomando a cada poco a inspeccionar el paisaje cotidiano disfrazado de magia por el temporal y acariciando la promesa de un gozoso día de juegos.

Jonás, mi hermano pequeño, no podía con los nervios; caminaba a saltitos —dos veces derramó el colacao— y no dejaba de buscarme con ojos cómplices y de musitar «¡Ahí va!» y «¡Jo!». Ni siquiera la insistencia de la Madre para que nos calzáramos el verdugo —nunca un nombre mejor puesto para una prenda tan cruel— y sobre él enrolláramos la bufanda de cuadros alcanzó a enfriar nuestro ánimo. Había caído la mayor nevada de nuestra vida y teníamos todo un día por delante.

Al salir de casa, a la carrera y no al paso de procesión de todas las mañanas, nos juntamos con los compañeros del colegio en el mismo lugar donde solíamos esperar al autobús, frente a la pollería del señor Eladio, y emprendimos la marcha hacia el descampado. El resto fueron frío, bolazos, un pelotón fallido de muñecos de nieve que se negaban a adoptar el perfil redondo de los tebeos, un cigarrillo compartido por los mayores —Efrén y su panda— ante la mirada admirativa de los pequeños, manos empapadas y ateridas bajo los guantes de lana y fugaces visitas a casa a reponer líquidos o recoger el almuerzo. También descubrimos que mear en fila sobre la nieve era más divertido que hacerlo en el barro; la orina labraba barrancas que humeaban como coladas de lava en las laderas blancas, impregnando el aire de amoniacos. Un día de nieve como otros de mi infancia, imborrable como todos para cualquier chaval de una tierra en que las nevadas son fiesta mayor, pero no muy distinto de lo que podría contar cualquiera. Si lo recuerdo tan bien, sin embargo, es porque ese día fue la primera vez que vino la policía a casa.

Con diez años, lo normal es lo que uno ve en casa y los raros son siempre los demás. A mí, por ejemplo, me resultaba extrañísimo que el padre de Joserra, mi mejor amigo, se pusiera el pijama nada más llegar del trabajo, y me llamaba la atención encontrarlo así, en el estrecho salón de aquellas casas de protección oficial, leyendo un libro y tomándose un whisky. Lo del libro y el whisky no me chocaba gran cosa, porque de ambos estábamos bien surtidos en casa, aunque finalmente acabó revelándose como lo más extravagante de todo. En cambio lo del pijama comprobé andando el tiempo que era de lo más normal.

En casa no nos poníamos el pijama más que para ir a dormir. Y a veces ni eso. No era extraño que, al asomarnos al salón alguna amanecida, nos topáramos con un tipo en calzoncillos y camiseta roncando sobre el sofá cama, mal envuelto en una manta corta y en la peste de los cigarrillos de la noche anterior. Siempre eran «amigos», o eso nos decía la Madre, pero rara vez repetían, ni volvíamos a verlos en las paellas que cocinaba el Padre en el Pinar de Chamartín, ni aparecían por los cumpleaños con un regalo, como otros amigos. Nadie más que conociéramos tenía tantos amigos, pero eso no nos resultaba extraño. Los raros eran los otros, los que vestían pijama por las tardes.

A mí me gustaba más cuando el que se quedaba a dormir era el abuelo Antonio, el padre de la Madre, con sus bigotes de morsa y su humor de farmacéutico de provincias. El Abuelo nos recogía a Jonás y a mí al salir del colegio y nos llevaba en taxi a todas partes: a hacer gestiones o compras que siempre desembocaban en conversaciones salpicadas de risotadas con otros tipos con bigotes más perfilados que los del Abuelo, y nunca se olvidaba de pedir patatas fritas y aceitunas rellenas para acompañar las cocacolas. Si llegaba en diciembre nos llevaba al mercadillo de Navidad de la Plaza Mayor a pasear entre los espumillones de colores, los puestos de zambombas y los pavos vivos que pastoreaban con una vara mujeres gordas vestidas de negro, siempre con moño. Cada año, invariablemente en el mismo puesto, nos compraba una figura para el belén, aunque sabía que los Padres no armaban nunca el nacimiento, con la excusa de que ya bastante navideño hacía el abeto. Pero el Abuelo se reía mientras nos envolvían en papel de periódico el Gaspar de turno o el romano con lanza, y decía:

—Que se jodan.

Los Padres, en realidad, no se molestaban. Se limitaban a colocar la figura en un estante, junto a los uniformados de la banda de música de barro que habían traído de un viaje a Portugal, y luego lo guardaban en una caja cuando el Abuelo se largaba. Lástima que no viniera a la capital más que un par de veces al año. Antes de irse nos llamaba muy solemne al salón y nos hacía prometer que seríamos malos, pero que no se lo diríamos a los Padres. Luego nos daba una moneda grande de veinte duros de plata y un beso con bigotes y olor a coñac.

Los días que estaba en casa el abuelo Antonio no había amigos que se quedaran a dormir, ni tampoco las cenas ruidosas de los martes, los miércoles y los jueves, ni siquiera las reuniones de algunas tardes que dejaban los ceniceros llenos de colillas y de papeles rotos en trocitos muy pequeños, cubiertos de garabatos en un desconcertante muestrario de caligrafías. Y aunque el Padre miraba a la Madre con alivio cuando salía por la puerta, acompañado del mismo taxista de todas las veces —un tal Jenaro, un hombretón rubicundo y canoso, de gestos exagerados y con un cantarín acento de la tierra que no lograban borrar los muchos años de emigración—, yo empezaba ya a pensar en la próxima visita del abuelo Antonio.

Aquella tarde, cuando acabamos de tirar bolas y regresamos extenuados al abrigo tibio del salón caldeado, los Padres no estaban en casa. Nos esperaba la tía Mari, que nos preparó una de esas tortillas de patata tan jugosas, nos avió para la cama y nos dijo que los Padres habían tenido que irse a un recado y que ya nos lo explicarían. Nos leyó un cuento de los hermanos Grimm —*El señor Sabelotodo,* me acuerdo perfectamente— y nos dio ella el beso de buenas noches.

Jonás se subió un rato a mi cama, como solía hacer antes de dormir.

—Qué pena que no esté mami —dijo.

—Y eso ¿por qué?

—Para haberle contado todo lo que hemos hecho en el descampado.

—Jo. Menuda batalla de bolas.

—El pelotazo que se llevó Joserra, que se sacaba la nieve de los calzoncillos. —Se rió. Luego se quedó callado—. Pero lo del pitillo, mejor no se lo decimos, ¿verdad? —concluyó.

Le iba a pegar un almohadazo, pero lo pensé mejor. No tenía muchas ganas de charlar, tampoco.

LA CÉLULA

DE TODAS LAS ASIGNATURAS DE CUARTO, LA QUE MÁS ME GUSTABA, con diferencia, eran las Ciencias Naturales. Y no porque Maite, la profesora, pintase con tizas de colores en la pizarra figuras fascinantes de animales destripados, esqueletos de murciélago o flores vistas en sección, que luego debíamos copiar con esmero en cuadernos cuadriculados. Me encantaban los misteriosos nombres de cada una de las partes —exoesqueletos, élitros, buche—, enlazados con flechas de trazo recto al punto correspondiente del dibujo. Pero no era eso; ni siquiera que se me diera bien aquello, y Maite siempre buscara una esquina de la hoja para plantar con su caligrafía de mayor un MB con rotulador rojo que me llenaba de orgullo. Ni porque nos llevaran de excursión, como aquella de primavera, al pinar en busca de «ejemplares» para el herbario y bichos que nos dejaba conservar en tarros de cristal. Tampoco porque fuera en Naturales donde el Lindo Galindo iniciase la moda de vaciar las tizas con un plumín para fabricar ataúdes para las moscas que cazábamos al alzar el vuelo. En realidad, lo que me gustaba de la clase de Naturales eran las camisas de Maite, la profesora, y su aroma espeso a perfume cuando se inclinaba sobre mi cuaderno cuadriculado para calificar —siempre un MB— el croquis del ornitorrinco o la taxonomía de los vertebrados. Olía mucho mejor que la Abuela cuando venía de visita, y que la Madre, que rara vez se perfumaba. Olía tan bien que mareaba, y aún hoy me pregunto cómo no se daría cuenta de la cara de bobos que se nos ponía, y de los ojos que trepaban nerviosos por la hilera de botones de la blusa buscando —y ahí estaba— la rendija que dejaba asomarse siquiera fugazmente al abultamiento del sostén satinado.

Me gustaban una barbaridad las Ciencias Naturales, y procuraba no perder ripio de lo que decía Maite porque sabía que al final acabaría inclinándose sobre mi cuaderno para regalarme una vaharada de olor a mujer y un paseo robado por su escote. Antes de eso, como una promesa, sus andares de gata en tacones al desplazarse entre las filas de pupitres, los dóciles vaivenes de sus curvas mientras pintaba de colores la pizarra y la sonrisa de blanco intenso enmarcada con brillos de carmín. Su voz dulce:

—La célula es la unidad más pequeña dotada de vida propia.

No recuerdo si aquel contundente enunciado acompañaba al croquis de un paramecio con sus cilios desplegados o a una ameba informe con su núcleo, membrana, plasma y mitocondrias. La unidad básica de la vida: la célula.

Célula era una palabra que ya había oído pronunciar en casa, pero no me parecía la misma cosa. De lo que hablaban a veces los Padres, cuando pensaban que no escuchábamos, enfrascados como estábamos en el Monopoly, era de algo que estaba formado por personas que «se integraban» en ellas: las células «se constituían», «captaban» y «caían». Pero los niños nunca dejábamos de escuchar, ni siquiera cuando la ficha azul caía en la Gran Vía y tocaba pagar mil pesetas de multa y vender unas casitas de la calle Amaniel para reunirlas. Como lo tenía fresco, alcé la cabeza, orgulloso, y repetí solemne:

—La célula es la unidad más pequeña dotada de vida propia.

De primeras, los Padres enmudecieron, atónitos. Luego el Padre se rió y tía Mari me revolvió el pelo con la mano, y se largaron a la cocina a seguir hablando. Cuánto les gustaba hablar a los mayores. Yo, en cambio, podía pasarme horas en silencio. Jonás debía de ser como un mayor, aunque era mi hermano pequeño.

Había más palabras que en casa parecían significar algo distinto. Los mayores las decían casi siempre bajando la voz. Tal vez pensaban que así no les prestaríamos atención. Una caída, por ejemplo; no entendía entonces bien de qué se trataba, pero no cabía duda de que era algo serio, no algo de lo que pudiera uno reírse como el batacazo que se pegó Joserra con la bici cuando se le plantó uno de la panda de Efrén en mitad de la cuesta y anduvo todo un mes con el brazo escayolado, cubierto de firmas y hasta un caballo con alas que le dibujó el Orejas Muñoz. Las caídas de las que hablaban los mayores eran algo más serio, dramático, a juzgar por el semblante con el que la Madre contaba que fulanito o menganita, o los de Standard, habían caído. Un salto, en cambio, era reunirse en la calle a dar gritos y tirar octavillas, y debía de ser de lo más emocionante porque la Madre volvía siempre sofocada, pero feliz, y se abrazaba muy fuerte al Padre o a la tía Mari cuando les veía entrar por la puerta. Pero lo más distinto de todo era el *Partido*. No era de copa de Europa, ni de baloncesto. El Partido sonaba en casa con mayúsculas y era algo dotado de líneas, de cuadros, de estructura y de cúpula. Algo muy geométrico, en suma, pero que no tenía nada que ver con lo que estudiábamos en clase de mates. El Partido tenía, como las personas, voluntad, capacidades y fuerza; también, aunque rara vez, cometía errores. El Partido era algo importante incluso en nuestras vidas. Incluso en la de Jonás y la mía, aunque no nos dejaran jugar en él, ni aun sentarnos en el banquillo. Aunque no supiéramos siquiera a ciencia cierta cuánto nos afectaba.

La tía Mari ingresó en el Partido el día que Jonás cumplió ocho años. Según supe más tarde, la había captado la Madre, después de discutir mucho con Amalio —también llamado «el Responsable»— si estaba preparada, si tenía la fibra y el aguante y no sé cuántas cosas más que había que tener. Lo que sí recuerdo es a la tía Mari viniendo por casa todas las tardes una temporada, trayendo libros que devolvía a la Madre subrayados a conciencia y llevándose otros nuevos, discutiendo cosas que ni siquiera yo, que era dos años mayor que Jonás, entendía bien. El día del cumple, sin embargo, a Amalio aún le quedó tiempo para organizar un guiñol para los niños que habíamos invitado.

Según iban entrando de la mano de sus padres pasaban fugazmente por el salón, donde se ajustaba la hora de la recogida y se ofrecían botellines o cafés. Allí solía hacerse la entrega del regalo, tímida, sin solemnidades, casi brusca. Así vestidos y tan modosos no había forma de reconocer a los compañeros. Si era un paquete plano, como de treinta y cinco por veinte y tapas duras, uno ya sabía que era un *Tintín,* un *Astérix* o un *Mortadelo.* Tocaba entonces abrirlo deprisa y —con suerte— exclamar satisfecho: «¡Hala, no lo tengo!». A medida que iban llegando los amigos era más probable que el proceso de desgarrar el papel, buscando unas letras o un dibujo delator, concluyera en una mueca de fastidio y un resignado: «Ya lo tengo». Entonces la Madre te daba un capón, sonreía a la madre del otro y siempre, siempre, decía: «No, seguro que no lo tienes». Y la otra: «Se puede cambiar», mientras sacaba a relucir un vale, un modelo que conocíamos bien y que permitía cambiar el tebeo en la papelería del barrio por algún otro, o una caja de lápices Alpino.

Para entonces, lo normal es que los niños ya nos hubiéramos instalado en el cuarto, ante unas fantas o unas cocacolas y una bandeja de mediasnoches a las que nadie —salvo el Gordo Varela— hacía el menor caso. La ronda de reconocimiento se iniciaba por la inspección de tebeos, y seguía por las cajas de los juguetes, o los tambores de detergente repletos de indios, soldados de varias guerras mundiales o locales, y caballos con y sin montura. Finalmente, el descubrimiento de algo que llamaba la atención:

—¿Lo saco?

—Vale.

Dos minutos después los abrigos estaban arrebujados sobre la cama, la compostura inicial desaparecía como por ensalmo y los vasos de papel con fanta peligraban en las esquinas de la mesa o en el mismo suelo. No tardaba en llegar un adulto a pedir que bajáramos un poco la voz, pero el guirigay no cesaba hasta que sonaba de nuevo el timbre de la calle, anunciando un regalo y con él un nuevo amigo dispuesto a sumarse al follón.

Cuando Amalio montó el guiñol llevábamos un buen rato jugando, así que no le costó mucho hacernos sentar frente al umbral donde una silla cubierta con una toalla simulaba el escenario. Por allí empezaron a asomar diversos personajes que había ido recogiendo por el cuarto. El elenco de la función incluía: el madelman de la Policía Montada del Canadá y otro de hombre-rana, un oso de peluche, un pelotón completo de marines de plástico verde unidos con gomas a un palo, una bruja con verruga y una caperucita calva (eran los únicos guiñoles que nos quedaban). Pero la estrella fue el esqueleto del *El cuerpo humano,* al que se le saltaban los huesos a medida que iba presentando los distintos cuadros.

—Brrrrr. ¡Qué frío hace aquí! Me tiritan hasta las tibias. ¿No tenéis frío, niños? —decía el esqueleto con voz quebrada.

—¡Nooooo! —gritábamos todos, partidos de la risa.

—Hummmm. ¡Qué hambre! Me he quedado en los huesos. ¿No quedará por ahí una medianoche de jamón-york para un pobre esqueleto hambriento?

No entendíamos ni la mitad de las cosas que decía el Señor Huesitos —como llamaba Amalio a su personaje— pero nos reíamos con ganas, porque hablaba con voz de falsete y de vez en cuando se le caía una pieza al suelo, lo que celebrábamos con risotadas y pateos. Hasta los mayores se habían asomado al pasillo para oír sus ocurrencias.

Recuerdo sobre todo a Caperucita tratando de huir del Policía Montado que la perseguía por subversiva.

—¡Ja, ja, ja, subversiva! —repetía el Gordo Varela antes de preguntar—: ¿Y qué es subversiva?

Yo me encogía de hombros, aunque conociendo a Amalio estaba seguro de que esa era una de las palabras de aquel lenguaje extraño que se hablaba en casa. Tal vez fuera alguna de las cualidades de la célula. O un tipo de célula, tal vez: musculares, nerviosas, óseas y subversivas.

El Montado no paraba de preguntar:

—Niños: ¿vieron a esa roja de Caperucita? —haciendo mucho hincapié en el *roja*.

Todos gritábamos: «Se fue por allí», señalando al lado contrario. Finalmente, el policía logró agarrarla, con la ayuda del pelotón de marines. Entonces sonó un redoble de tambores —Amalio era experto en hacer ruidos con la boca— y empezaron a agolparse personajes en el escenario: el hombre-rana, el oso de peluche, un Mortadelo recortado en cartón y otros más que no habían aparecido hasta entonces. Rodearon al Montado, a la vez que gritaban:

—¡Li-ber-tad para Cape-rucita!

Los niños nos sumamos al coro, y los mayores del pasillo, entre carcajadas, de modo que en un momento creció un estruendo de risas y gritos.

—¡Li-ber-tad para Cape-rucita!

Hasta que la Madre apareció de pronto, sofocada.

—¡Amalio, joder, que se oye todo!

Así que, dirigidos por el Señor Huesitos, los personajes se abalanzaron sobre el Montado y los marines, que saltaron por los aires, la Caperucita calva fue liberada y paseada a hombros entre los aplausos del público y el esqueleto inició su monólogo final, solemne y dramático:

Un fantasma recorre Europa
y las viejas familias cierran las ventanas,
afianzan las puertas,
y el padre corre a oscuras a los bancos,
y el pulso se le para en la Bolsa.

Amalio recitaba de memoria, con voz grave, la prosodia atinada y un tono heroico que compaginaba bien con la pieza. Recuerdo que lo escuchamos embobados, porque era un poema tremebundo, plagado de barcos, bodegas, tiros, viento y estepas. Hasta concluir:

Un fantasma recorre Europa,
el mundo.
Nosotros le llamamos camarada.

No hubo aplausos, solo silencio. Hasta Amalio asomó la cabeza sobre la silla, extrañado. Entonces volvió a sacar al Señor Huesitos, que le dijo a mi vecina Bea:

—Mmm, ¿quién es esta niña tan guapa? Creo que me muero por sus huesos.

Después de aquello, la Madre se pasó un rato jugando con nosotros, contándonos que el Señor Huesitos estaba medio loco y no decía más que insensateces. Era obvio que no quería que los niños volvieran a sus casas contando cosas raras del guiñol. Así al menos lo entendí yo, y enganché en un rincón a Joserra, a Manolito el Pera, al Lindo Galindo y al Gordo Varela y les dije muy serio:

—Como alguien se vaya de la lengua con lo del guiñol le voy a tener que partir los hocicos. Eso va a ser un secreto de nuestra célula, ¿está claro?

No me costó convencerlos. Solo tuve que explicarles de qué se trataba, y les gustó el detalle de los códigos y el saludo secreto. Así quedó constituida nuestra célula. La célula «Los Camaradas».

LA TÍA MARI SE INSTALÓ EN CASA A LOS POCOS DÍAS DE QUE
detuvieran a la Madre. Yo la echaba de menos, pero era
sobre todo Jonás quien lo pasaba peor. Ni siquiera hablaba
de ello, que es lo que hacía cuando algo le daba miedo de
veras.

El Padre nos llamó a su despacho y nos explicó cómo
estaban las cosas.

—Y así están las cosas.

Luego se quedó callado y nos miró como si no estuviera seguro de haber encontrado las palabras justas. Entonces Jonás preguntó si podíamos merendar nocilla ahora
que no estaba la Madre, porque ella siempre nos dejaba. El
Padre le dio un abrazo y le dijo que sí, que claro. También
me abrazó a mí y me dijo que ahora tenía que demostrar
que era el hermano mayor, cuidar de Jonás y ayudar a la
tía Mari. Nos dimos otro abrazo y nos fuimos todos a
la cocina a prepararnos un bocadillo extragrande. Claro, que
no pudo ser de nocilla, porque la Madre nos la tenía prohibida, así que hasta que se pudo comprar, nos conformamos
con el fuagrás.

Intuyo que Jonás no entendía bien cómo estaban las
cosas. La explicación del Padre tampoco ayudaba mucho,

porque si la Madre no había hecho nada malo, no se entendía por qué se la había llevado la policía. En *Área 12,* que era nuestra referencia en materia policial, siempre que detenían a alguien era porque había hecho algo verdaderamente malo. Tampoco se entendía por qué no debíamos decir nada en el colegio. Aunque la directora debía de saber cómo estaban las cosas, porque unos días después nos llamó estando en el recreo y en vez de castigarnos o hacernos tests —que era lo que solía pasar cuando uno iba a dirección— nos preguntó muy seria cómo nos encontrábamos y nos revolvió con rara ternura el pelo antes de mandarnos de vuelta al patio.

A la tía Mari, que también sabía cómo estaban las cosas, hubo sin embargo que explicarle montones de ellas. Como que los lunes y miércoles tenía que meternos el kimono de judo —y mi cinturón amarillo-naranja— en la bolsa de gimnasia. O que las porras que vendía el churrero que se asomaba a la reja del colegio en el recreo de la mañana valían cincuenta céntimos, pero que eso no iba incluido en la paga. O que a Jonás había que levantarle todas las noches a eso de las doce y ponerle a hacer pis, porque si no amanecía empapado de meados y vergüenzas. O que a mí debía revisarme los cuadernos, por si se me olvidaba que traía deberes.

Salvo esos detalles, apenas cambiaron las rutinas de la casa. Recuerdo, eso sí, que aquel invierno hizo mucho frío. Pasé muchos ratos pintando con los dedos sobre el vaho que se formaba en el cristal de nuestra habitación, mirando hacia la calle y dándole vueltas a la cabeza. Me preguntaba por ejemplo si en la cárcel tendrían televisión y podrían ver *Viaje al fondo del mar,* porque a la Madre le gustaba sentarse a verlo con nosotros los domingos por la tarde. La cárcel, pensaba yo, debía de ser como el *Seaview,* un submarino estrecho donde la gente dormía en literas y cada poco alguien gritaba «¡Inmersión!». Pensaba que me gustaría tener un periscopio para ver qué pasaba allí fuera y que era un rollo ser pequeño, no entender bien cómo estaban las cosas y tener que callármelo porque se suponía que ya me lo habían explicado.

Aquella tarde tocaban compras. La Madre tenía una idea muy precisa de cómo se iba de compras: consistía en meterse en el coche, enfilar hacia el Corte Inglés de Generalísimo y, una vez allí, ir pasando por diversas plantas: zapatería, papelería, menaje del hogar, señoras y confección de niños, de donde debíamos salir con un par de pantalones y un par de camisas cada uno, un jersey y, según la temporada, una cazadora o tal vez un abrigo.

—A ver, Manuel, ¿te gusta este? —preguntaba exhibiendo un pulóver de rombos naranjas.

—Pues no. Ni pizca.

—A mí sí me gusta, mami —decía el pelota de Jonás.

Total, que ya teníamos pulóver de rombos para la temporada. Eran tiempos en que los psicólogos aún no habían inventado la matraca de que había que respetar la individualidad y el gusto de cada niño, así que el modelo elegido se compraba siempre por duplicado, dos tallas menos para Jonás, y nuestra opinión no siempre era tenida en cuenta. La única forma de evitar que se nos vistiera con estricta uniformidad era que no hubiera tallas para los dos. O montar un estropicio de órdago, pero con la Madre esa era siempre una opción de riesgo.

La tarde de compras tenía sin embargo dos alicientes que la Madre administraba sabiamente: el chocolate de taza y una tostada con mermelada en la cafetería era uno. El otro, el más importante con diferencia, era la visita a la sección de juguetes, con tiempo suficiente para curiosear entre los anaqueles, toquetear lo que se pudiera y anotar mentalmente los deseos para la próxima entrega, ya fuera la Navidad, fin de curso o el cumpleaños.

La expedición se repetía dos veces al año, normalmente en otoño y primavera, salvo que un estirón fruto de una convalecencia impusiera una visita fuera de calendario. De todo esto, claro, la tía Mari no sabía casi nada. Para ella ir de compras consistía en agarrar la camioneta que nos sacaba del barrio, bajar luego en metro hasta Cuatro Caminos y tirar Bravo Murillo abajo entrando en un montón de tiendas pero sin comprar nada. Llevábamos así ya un buen rato, no teníamos ni siquiera los zapatos y nadie nos había ofrecido la preceptiva merienda, de modo que Jonás y yo empezábamos a estar mosqueados. Muy mosqueados. Nos arrastrábamos rezongando, obligados a cargar con alguna bolsa, rabiosos y hambrientos como hienas del Serengueti en año de sequía. La tía Mari se desesperaba pero —adulta al fin y al cabo— no se le había ocurrido algo tan sencillo como preguntarnos.

—Allí —gritó Jonás, señalando al Corte Inglés.

—¿Allí? —preguntó la tía Mari.

—Claro, allí hay zapatos y tostadas —expliqué yo.

No costó mucho convencer a la Tía, y una vez en los grandes almacenes la condujimos astutamente hacia la planta de juguetería. Allí se encontró con alguien conocido y, mientras pegaba la hebra, Jonás y yo nos pusimos a trastear entre madelmans y fort-apaches. Yo me quedé mirando la misión safari, con su madelman de salacot, su jeep, su tienda de campaña de lona crema y su porteador negro tocado con un fez rojo. Allí me tiré un rato largo echando cuentas mentales de mis probabilidades de conseguir tamaña maravilla si lograba calzar un par de sobresalientes en el boletín de notas. Cuando me cansé de hacer cábalas me acerqué a la tía Mari, que seguía de palique, y le anuncié con la mayor calma —la Madre siempre insistía en que no debía ponerme nervioso— que Jonás no estaba. Me pasó la mano por el pelo y siguió hablando. Luego se quedó callada, miró a su alrededor, se agachó y me escrutó con los ojos muy abiertos.

—¿Cómo que no está?

—No está —expliqué—. Y no sé dónde ha ido.

Se irguió de un salto, miró a todos los lados a la vez y rompió a gritar.

—¡Jonás! ¡Jonás!

—Tranquila, mujer, seguro que aparece —le decía su amiga.

—¡Jonás! ¡Jonás! —chillaba la Tía, cada vez más atacada.

Tardamos unos diez minutos en encontrarle. Para entonces a la tía Mari no se le entendían la mitad de las palabras, había movilizado a todos los dependientes de la planta y estaba pidiendo un teléfono desde el que llamar al Padre a la oficina. Jonás se había despistado en la parte de los balones, y cuando aquella dependienta le preguntó dónde estaba su mamá no se le había ocurrido nada mejor que decirle que estaba en la cárcel, pero que no había que decírselo a nadie. La mujer se lo llevó a la cafetería mientras avisaba a los vigilantes, así que finalmente el enano se pudo pedir su taza de chocolate con tostada.

Cuando vinieron a avisar, la tía Mari me arrastró a la carrera hasta la cafetería, pero luego se puso tan nerviosa abrazando a Jonás y llorando que se le olvidó completamente pedir otra taza para mí. Pensé que quizá no era el mejor momento para recordárselo, y que ya que nos íbamos a volver a toda prisa a casa nos tocaría volver otro día para liquidar las compras. Jonás no era muy consciente de la que había liado. Yo sí; para algo era el hermano mayor.

—Te la vas a cargar, Microbio.

No se la cargó. Al contrario, el Padre se rió mucho con toda la historia, y le dijo a la tía Mari que había que tener mucho ojito con nosotros, pero que no se preocupara. Y también mencionó algo de que estaba afectada por el síndrome de Chencho, aunque yo no supe a qué se refería hasta que a la Navidad siguiente echaron en la tele *La gran familia*. Bueno, lo del síndrome tardé incluso algo más en averiguarlo.

Aquella noche, después del cuento, Jonás seguía de un humor envidiable.

—¿Ves?, no me la he cargado.

—Hoy puede que te hayas librado, Microbio, pero mañana fijo que te castigan.

Como se echó a reír no pude evitar sacudirle un almohadazo con todas mis ganas. Entonces rompió a llorar, y vino el Padre y me castigó sin dibujos para una semana. Y antes de quedarme dormido me dio tiempo a pensar que, si era así como estaban las cosas, las cosas no me gustaban nada.

CADA TANTO, AL MENOS TRES VECES AL AÑO, LLEGABA DE GALICIA una carta. La encontrábamos depositada entre los cojines de la cama, bien visible —la Madre se encargaba de eso—, con nuestras señas escritas en inconfundible caligrafía inglesa. La verdad es que nadie salvo el abuelo Antonio nos mandaba cartas —si acaso, alguna vez, una postal de alguno de los tíos que anduviera de viaje—, así que no había mayores misterios que justificaran nuestra emoción. Pero el sobre en la almohada desataba inexorablemente una pelea.

—Me toca a mí.

Esa frase era el reconocimiento de un fracaso, pues solo la pronunciaba el despojado, y solo el que se había hecho con el sobre podía dictar la sentencia, no siempre razonada, del caso.

—Mentira. Tú la abriste la otra vez.

Enseguida se oía rasgar el papel, los dedos que hurgaban curiosos entre los pliegues y la exclamación que celebraba el hallazgo. En realidad, las cartas del Abuelo no decían gran cosa, aunque siempre eran divertidas.

Queridos nietecitos:

Ha llovido tanto esta primavera que a la abuela Julia le han salido ramas en los postes del tendal. De esas ramas han nacido unos brotes, y allí ha plantado un nido una mal parida urraca —también llamada picaza— que la caga las sábanas en cuanto nos descuidamos.

Al borrico Sebastián le han crecido las orejas tanto que he pensado cortárselas por la mitad para hacer un gorro por si alguno de los dos no estudia como es debido. Aunque sé de sobra —y tengo informes de buena tinta de calamar al respecto— que sois hombres cabales que no darían ese disgusto a sus padres.

Me ladra al oído Napoleón que os dé un lametón en las rodillas peladas, y la abuela Julia os manda un beso tan grande como la bolla de manteca de los domingos.

Sed malos, que ya sé que sabéis.

Besos de vuestro abuelo que lo es,

ANTONIO

Posdata: No olvidéis despegar con cuidado el sello que franquea esta carta. ¿A que es bonito?

El secreto de las cartas del abuelo Antonio era que siempre llevaban un billete dentro. Normalmente marrón, con el rostro emperillado de Gustavo Adolfo Bécquer, que debíamos entregar a los Padres para su canje. Parte del dinero acababa en la hucha, pero, con suerte —o lo que es lo mismo, si el Padre llegaba tarde a casa—, conseguíamos al menos quince o veinte pesetas para el gasto. Día de atracón consumista en el pipero o, mejor aún, incursión en la juguetería de la señora Lola, una versión modesta y con mostrador de las tiendas del centro, pero aun así poblada de mil cachivaches, indios o cometas pidiendo a gritos un dueño.

De aquellas cartas del abuelo Antonio me ha quedado el gusto por la correspondencia, que conservo, aunque sea adaptado a ese sucedáneo mecanografiado que es el correo electrónico. Solo la rapidez de la entrega y la inmediatez de la respuesta presentan alguna ventaja sobre la cadencia de la pluma sobre el papel, el juego de doblar los folios para introducirlos en el sobre y sobre todo la ilusión infantil de encontrar un envío franqueado y exclusivamente personal aguardando sobre la cama.

Antes de venir a vivir con nosotros, todos los domingos aparecía a comer la tía Mari, acompañada por lo común de Aurelio el Frutero, su novio. Todo lo que tenía Mari de desgarbada y nerviosa, el brillo de los ojos pardos y la cabellera rebelde, lo tenía Aurelio de cachazudo, orondo y pausado. Era redondo en todas sus partes y todas sus acepciones: una calva redonda y brillante, una panza tersa y sobresaliente, mofletes como melocotones en almíbar y un pensamiento esencialmente circular, basado en dos pilares: no hay nada nuevo bajo el sol y mañana será otro día. Lo que no entiendo es cómo la tía Mari, todo brío y todo nervio, aguantaba a aquel pedazo de carne con ojos. Lo cierto es que al mus hacían una pareja absolutamente imbatible.

Cada domingo asomaban para el vermú por el Mojácar, el bar de la esquina del parque. Cuando aprendí que el vermú era un tipo de bebida, me costó aún entender por qué se llamaba así a la reunión del aperitivo de cada fin de semana, porque los Padres tomaban cerveza, Mari y el Frutero chatos de tinto y los niños cocacola con pajita y patatas fritas. Preguntas como esa —¿por qué siempre hay refranes que sostienen cosas contradictorias? o ¿si la televisión es mala para los niños, por qué los mayores la ven tanto?— empecé a planteármelas a medida que embocaba el final de la niñez y a darles respuesta entre las brumas de la adolescencia. Para muchas, claro, sigo sin tener respuesta.

La reunión de los domingos arrancaba del vermú en el Mojácar y atravesaba la paella del Padre, que se demoraba siempre sobre el horario previsto, para concluir, horas después, con los mayores sentados a la mesa con cuatro cartas en la mano y montoncitos de garbanzos dispersos entre las tazas de café y las copas de licor, mientras Jonás y yo veíamos en la tele *El Virginiano*. Era la hora del mus.

—A la mano con un pimiento.

—De una a dos.

—Veo... y no pierdo.

—A llorar a los Paúles, Frutero.

El arsenal de frases hirientes, latiguillos chulescos y desplantes histriónicos convertían la partida de mus en un teatro donde los adultos representaban ante nuestros fascinados ojos una obra tan emocionante como incomprensible. El juego, como un mar de fondo, apenas se intuía, y uno tenía la impresión de que la baraja y los amarracos no eran más que una excusa para que los mayores pudieran hacer todo aquello que nos prohibían a los pequeños: chillar, insultarse, decir palabrotas, pegarse palmetadas en la espalda, reírse a carcajadas y cachondearse unos de otros, a veces hasta cabrearse en serio. Mi ánimo se dividía entre la habilidad con el revólver del Virginiano

—un hombre de temple, que solo desenfundaba si la ocasión lo exigía y al que uno nunca se imaginaría jugando al mus con su amigo Trampas— y la pasión de la batalla campal que se desarrollaba sobre una mesa a un par de metros de allí. Para Jonás, en cambio, las lealtades estaban claras.

—¡Callaros, que no se oye la tele!

La Madre sacaba entonces a relucir sus mañas de profesora y sus resabios de primera de la clase.

—Se dice «callaos», nene —le corregía.

—¡Que os calléis! —replicaba el Microbio, triplemente enfurruñado, porque no le hacía ni pizca de gracia que le llamaran *nene,* ni que no se obedecieran sus órdenes, ni mucho menos que le enmendasen la plana.

Los mayores, conocedores del genio fiero de Jonás, se miraban, se hacían guiños y bajaban momentáneamente la voz, aunque el volumen no tardaba en volver a los niveles de antes, puntuados por ocasionales trallazos.

—¡Ni mus, ni pollas!

Yo era un avezado jugador de brisca, me defendía a las damas y conocía otro puñado de juegos de naipes: el cinquillo, la guerra, el burro, la pocha... Así que suponía que la partida de los mayores no encerraría misterio alguno, pero lo cierto es que por más que observaba las manos y los descartes, por más atención que ponía en el vaivén de naipes y bravuconadas, no conseguía sacar nada en claro. Preguntar, ni que decir tiene, estaba descartado. Ya lo había dicho un día el Frutero:

—Los mirones, en el mus, son de piedra y dan tabaco.

Mari y su novio solían jugar de compañeros, pero de vez en cuando se echaban reyes para cambiar parejas, y les tocaba juntas a la Madre y su hermana. Entonces las cartas no les regateaban ni una sola vez la suerte, y hacían de la partida un paseo triunfal, más humillante para los hombres porque ellas ni siquiera abusaban de las ofensas verbales. Era tal la superioridad de las mujeres que en vez de hurgar en la herida, como requerían los usos del juego, casi se disculpaban, pero en las caras del Padre y el Frutero se veía bien a las claras que hubieran preferido, de lejos, un «Se dan lecciones de mus, los martes de seis a siete» a los modales gentiles pero condescendientes de las chicas.

Para cuando acababa la partida, el Virginiano ya se había cargado a los malos y Trampas, su fiel mano derecha, era objeto de alguna broma pesada. Entonces nos acercábamos los niños a la mesa y echábamos todos juntos una escoba o un cinquillo.

La parte buena de las cartas del abuelo Antonio era —ya lo he dicho— su contenido; la parte mala, en cambio, era que había que contestarlas. En esto tanto la Madre como el mismo Abuelo eran inflexibles. Así que allí nos tenías, sentados a la mesa, agonizantes a una edad impropiamente temprana ante el pavor por el folio en blanco.

—Y ¿qué le pongo? —intentaba zafarme.

—Tú sabrás —respondía, seca, la Madre—. Cuéntale lo que haces en el cole, o con los amigos.

—¿Puedo hacer un dibujo? —preguntaba Jonás mientras abocetaba mentalmente batallas de platillos volantes con profusión de láseres (raya discontinua en zigzag) y cañonazos (raya discontinua y nube de humo en el extremo).

—No.

—Jo.

—Primero escribe, y luego pintas algo sobre lo que has escrito.

En cuanto pudo, la Madre nos hizo llegar una carta desde la cárcel. Nos decía que teníamos que ser buenos, que ella volvería pronto y que hiciéramos el favor de parar de crecer para no perderse nada; luego decía que era broma y que, al contrario, teníamos que crecer y hacernos mayores, hacer caso al Padre y a la tía Mari y estudiar como era debido, para que pudiera seguir estando tan orgullosa de nosotros como siempre. Mandaba también montones de besos y abrazos.

Así tuvimos una dirección —Elisa García Ramos, Módulo VI, Centro Penitenciario de Mujeres de Yeserías (Madrid)—, nos tocó a Jonás y a mí escribirle una carta todas las semanas. La primera vez la redacté de corrido, contándole todas las cosas que me habían pasado, lo que había aprendido en cada asignatura —estábamos estudiando los gasterópodos con babas y todo— y lo muy nervioso que me ponía el Microbio con sus niñerías. A la tía Mari le pareció todo bien, aunque sugirió que tal vez tendría que añadir que la echaba de menos.

—Pero eso ya lo sabe.

—Claro, cariño, pero siempre gusta oírlo.

—¿Puedo hacer un dibujo? —preguntó Jonás.

—Sí, pequeñín, seguro que a mamá la encanta.

Yo sabía que a la Madre le iba a mosquear mucho recibir una batalla de platillos volantes, pero resultó que no, que se había reído un montón. Así que a la semana siguiente estuve tentado de pintarle un Stuka con su cruz gamada en la cola bajando en picado para arrojar sus bombas sobre una hilera de blindados aliados, pero luego lo pensé mejor y decidí hacer caso a Mari. Así que le puse que la echaba de menos, que el Padre estaba muy raro y trabajaba mucho y que la tía Mari era genial pero que se echaba a llorar sin que uno supiera por qué, y que yo creía que era porque el Microbio le colmaba la paciencia. Cuando la vio la Tía, antes de meterla en el sobre, me dijo que no podía ponerle esas cosas, y que mejor le contara lo que había aprendido en el cole.

El Padre nos había explicado que teníamos que poner cuidado con lo que escribíamos, porque en la cárcel las cartas te llegaban abiertas, ya que había unos señores que las miraban y si no les gustaba lo que estaba escrito pues las tachaban o las cortaban o simplemente no se las entregaban a la Madre. A eso se llamaba censurar la correspondencia, pero yo no entendía por qué a los censores les podía parecer mal que la tía Mari llorase por culpa de Jonás. Más tarde, claro, comprendí que ese no era el problema.

La segunda vez que Jonás mandó el dibujo de la batalla espacial de los platillos volantes la Madre le insinuó que debía dejar volar un poco más la imaginación, y que no estaría de más ver qué tal iba de caligrafía. Al Microbio no le gustaba escribir; en realidad, no le gustaba hacer nada que le recordara al colegio, incluido comer empanadillas. Mi hermano demostró, desde su más tierna infancia, una aversión al trabajo solo comparable con su habilidad para que nadie lo notase. Luego, en la facultad, aprendí que la eficiencia es justamente eso: obtener el máximo provecho con los mínimos recursos. Jonás era, ya desde bien pequeño, el paradigma de la eficiencia. Pero incluso un cliente tan entregado como la Madre tenía sus límites.

Así que después de los dibujos, Jonás atacó repetidas veces las variaciones sobre un monotema: contar una semana en tres frases y media. Hasta que el Padre se cabreó.

—Mira, Jonás, tu madre lleva dos meses fuera, y tienes que esmerarte un poco. Vuestras cartas son muy importantes para ella.

—La Madre no está «fuera»: está «dentro». Si estuviera «fuera» podría venir a vernos y viviríamos todos juntos como antes. Y esa —Jonás señaló a la Tía— se podría ir a su casa.

La eficiencia no está reñida con la audacia, pero esta vez se había pasado, como vino a recordarle un pescozón veloz, seco y sonoro. La paciencia del Padre tenía un límite, y cualquiera sabía que era sumamente fácil acercarse a él. Además, no había avisos, solo la sanción radical de una colleja que te dejaba la nuca rabiando durante diez minutos.

Así que a Jonás le tocaba ponerse a escribir y tener la fiesta en paz.

—Mira, chaval, vas a escribir una carta como es debido y vamos a tener la fiesta en paz.

Si el Padre te llamaba «chaval», era que la cosa estaba fea.

Pero el Microbio, aparte de suerte, eficiencia y propensión al ahorro, tenía carácter.

—No.

Y fue no. Ni la segunda colleja, ni el quedar castigado sin televisión una semana —y eso significaba *El Virginiano* y *Los Chiripitifláuticos*—, ni los gritos trufados de maldiciones del Padre, ni la intercesión conciliadora de la tía Mari lograron que se atuviese a razones. Jonás se cerró en banda y sanseacabó.

Me tocó entonces escribir doble, para suplir la ausencia del Microbio. Así que le conté con detalle a la Madre cómo se organizaba el juego de polis y cacos en el patio del recreo, usando como casa —y cárcel— las porterías de fútbol, y cómo cuando nos agarraban los polis formábamos una cadena enlazados por las manos, que se estiraba como una serpiente eslabonada en busca de la palmada que nos dejaba libres. De nuevo a la tía Mari no le pareció tan buena idea que le contara estas cosas, quizá porque pensó que el de la censura podía creer que era algún tipo de metáfora. Ya habíamos estudiado las metáforas en clase de lengua, pero no acababa de entender a qué se refería Mari, ni qué tenía esto que ver con el astro rey ni con las perlas de tu boca.

Aquella noche, antes de dormirnos, entró el Padre a leernos el cuento. Tras el colorín-colorado, estuvo hablando con el Microbio y conmigo. Le preguntó que por qué no quería escribir a la Madre, y Jonás dijo que lo que tenía que hacer ella era venir con nosotros y no ser tan imbécil de haberse dejado atrapar por los polis, y que con la mierda de las cartas no íbamos a conseguir que saliera antes. El Padre nos preguntó si nos acordábamos de la peli de *El hombre de Alcatraz.*

Yo sí me acordaba. Era de Burt Lancaster, pero no de medievales como *El halcón y la flecha,* sino que era un preso que como se aburre y para no meterse en líos se pone a criar pájaros en su celda y acaba reuniendo un montón de ellos y aprendiendo todo lo que se puede aprender sobre los pájaros, aunque a veces le da pena que estén enjaulados como él. La habían puesto en la tele hacía poco, y en casa a todos nos gustaba Burt Lancaster. Era mi segundo actor favorito, después de Lee Marvin, que era genial.

—Pues para la Madre, las cartas que le mandamos son como los pájaros del hombre de Alcatraz —nos explicó—:

un montón de plumas que le recuerdan que la vida sigue fuera, y que algún día, seguro que muy pronto, ella volverá para compartirla con vosotros. ¿Entiendes, Jonás?

Jonás no dijo nada. Yo creo que lo que el Padre nos contó sí era una metáfora, como si las cartas fueran pájaros con sellos. Pero a la mañana siguiente, antes de ir al colegio, le escribió una cuartilla a la Madre. Terminaba mandándole montones de besos y diciéndole que a veces uno no es imbécil aunque se deje coger.

A mí la tía Mari me devolvió la parte donde explicaba lo de polis y cacos. Y al suertudo del Microbio le levantaron el castigo.

Queridísimos peques:

Gracias por vuestras cartas y vuestras fotos: ya veo que seguís grandes y repolludos. Y también que seguís sin hacer maldito caso de lo que os dice vuestra amantísima Madre. ¿No os dije que no crecierais? Pues ya noto en la foto del parque que Jonás (¡mi peque!) ha pegado un estironcillo: los pantalones que compramos para el verano pasado (en El Corte Inglés de Castellana, ¿te acuerdas?) se te han quedado pesqueros. Así que como no vais a ir a mariscar, mejor dile a tu padre o a Mari que te compre unos nuevos. Vale, si quieres pueden ser tejanos. Tú también estás guapísimo, Manu, no vayas a tener pelusas, que eres muy dado, pero debes recordar que eso de tener celillos de tu hermano está de más, porque ser el mayor no solo es una responsabilidad sino también un privilegio; o sea, como un chollo pero no tanto. Te lo he dicho más veces, ¿verdad?: debes cuidar de tu hermano. Y eso es algo más que no zurrarle la badana, así que en la próxima carta que me mandes quiero que me prometas que vas a hacerlo, ¿estamos?

Me alegra mucho que los estudios sigan yendo bien. Ahora que no estoy en casa para ayudaros con los deberes, es muy importante que os apliquéis en serio, y asumáis esa responsabilidad. Vuestra madre también estudia, no os vayáis a creer: de hecho, dicen que Yeserías es la segunda mejor universidad de España: tenemos magníficas profesoras y los pocos libros de que disponemos pasan de mano en mano, los subrayamos a modo y los comentamos casi con tanto interés como si se tratara de un episodio de *Viaje al fondo del mar.* Ay, cómo echo de menos esas tardes de domingo viendo la tele con vosotros. Pero no os vayáis a creer, que aquí también tenemos tele, aunque solo nos la dejan ver a ratos, y nunca *Misión: Imposible,* porque es muy tarde. ¿Veis? Justo castigo por mandaros siempre a la cama tan temprano. Ahora entiendo que alguna vez se debe hacer una excepción. Así que os prometo que cuando vuelva —y espero que sea muy pronto— os dejaré quedaros levantados (un día, solo un día) para ver un episodio completo. ¿Veis como aprendo cosas también yo?

Fijaos si se aprende, que el otro día leyendo un libro de historia de un filósofo alemán aprendí que los hechos importantes de la historia se repiten dos veces, pero la primera como si fueran una tragedia y en cambio la siguiente como una farsa (o sea, una especie de peli de risa absurda como las de los hermanos Marx; ¿os acordáis?, la parte contratante de la primera parte será considerada...). Espero que al próximo que le toque venir a pasar una temporada en esta santa casa lo haga por diversión. Vaya, de repente me he imaginado a Groucho como director de la cárcel y me ha entrado la risa. Eso fardaría, como dice Manu, ¿verdad, peques?

La próxima vez os escribiré una carta a cada uno, pero hoy no puedo, porque se me ha acabado el tiempo, y casi hasta el papel. Solo quería deciros (y esto va para los dos) una cosa. Me ha dicho vuestro padre (cuidádmelo bien, ¿eh?) que habéis preguntado por qué no podíais venir a visitarme —a comunicar, como se llama aquí—. Lo primero es que ya nos comunicamos de dulce por carta, ¿no? Pero sobre todo, chicos, y esto estoy segura de que ya tenéis edad para entenderlo, porque este sitio no es nada bonito. ¿Os acordáis de lo que os decía de las cosas bonitas? Uno debe rodearse de cosas bonitas y personas guapas (por dentro, sobre todo) y evitar los lugares, las sensaciones y las personas feas. Es verdad que la cárcel (¡hala, qué terrible suena eso!) también está llena de personas muy hermosas: la mayoría de mis compañeras lo son, e incluso algunas de las vigilantas no están mal. Pero el edificio es feo, no nos dejan tener flores, ni cuadros, ni discos... Y aunque muchas veces me dan tantas ganas de abrazaros que os espachurraría, prefiero que esperemos un poco, solo un poquito, para que podamos vernos en un sitio más bonito y mataros a besos y abrazos. Lo entendéis, ¿verdad?

Termino ya, que aunque trato de hacer la letra lo más pequeña posible se me acaba el papel. Así que ahora tocan los encargos: portaos bien, mejor que bien, si podéis; estudiad mucho, que pienso tomaros las lecciones aunque sea por carta; cuidad de Mari y del Padre (y eso quiere decir obedecer sin piarlas ni quejaros, que os conozco); tú, Manu, cuida también de Jonás, sobre todo en el cole; y tú, peque, cuida también de tu hermano, que no por ser el mayor es siempre el más fuerte; no os zurréis (ni siquiera a almohadazos); leed mucho; comed todo lo que os pongan en el plato sin rezongar (eso va por ti, pequeñín); no crezcáis demasiado deprisa y aplicaos a ser todo lo guapos que podáis por dentro. Por fuera os sobra con ser hijos de vuestra madre, que la belleza os viene de familia; bueno, vuestro padre tampoco está mal; escribidme de vez en cuando pero no deis a estas «vacaciones» mías más importancia de la que tienen, ni dejéis que os fastidien mucho más de lo estrictamente imprescindible; recordad la regla de oro y, sobre todo, sobre todo, sobre todo, sed felices como perdices. ¿Podréis cumplir estos encargos? Sí, estoy segura de que sí.

Muchos besos, hijos. Muchos abrazos. Muchos achuchones, de

la Madre

UNA DE LAS PAREDES DE LA ALCOBA DE LOS PADRES ESTABA cubierta por una estantería de pino basto que se prolongaba hasta el techo. Allí acababan sus días, una vez leídos, los libros que rondaban de costumbre por la casa. Novelas, sobre todo, de títulos prometedores —*Mientras la ciudad duerme, Oscuro como la tumba en la que yace mi amigo, Los desnudos y los muertos*—, libros de ensayo llenos de palabras imposibles —empiriocriticismo, dialéctica, praxis, historiografía—, cubiertas rústicas o lomos con sobredorados, almacenados en ocasiones en doble fila, cubiertos también a veces de una tenue capa de polvo.

Aunque nunca encontré nada que pudiera llegar a leer, disfrutaba curioseando entre los estantes, observando el contraste de los tamaños, la policromía de los lomos, tratando de deducir el significado de aquellas palabras a partir de las ilustraciones de la cubierta —cuando las había—, memorizando títulos y autores o simplemente dejando vagar la imaginación entre el despliegue de tipografías y colores. De aquella, imagino, me habrá quedado el gusto por husmear en los anaqueles de las librerías de viejo, por la rebusca en las casetas de Moyano o los batiburrillos de los mercados.

Fue en el curso de uno de aquellos ratos, no lejos de un fin de año, cuando Jonás descubrió bajo la cama unos paquetes cuidadosamente envueltos en papel de regalo.

—Ahí va, Manu, ¿qué habrá aquí?

Demasiado tarde: el Microbio había arrancado ya un trozo del envoltorio lo bastante grande como para distinguir, impresas en color rojo sobre fondo amarillo, unas letras que remedaban tablones rotos y dibujaban la palabra «FORT...» en mayúsculas. Así fue como mi hermano descubrió que los regalos de Papá Noel no se distribuían todos la noche del 24, sino que los dejaba en depósito, unas semanas antes, bajo la custodia de los padres.

—Imagínate, Microbio, que tuviera que repartir todo ese montón de juguetes en una noche. Él solo.

—Pero tiene a los pajes...

—¿Serás bobo? Esos son los Reyes Magos.

Semioculto tras una hilera de libros, enrollado en forma de grueso cilindro —y ya era llamativo que en nuestra casa alguna pieza de papel impreso recibiera ese maltrato—, encontré aquello en una de mis incursiones. Fue inicialmente la curiosidad lo que me llevó a sacarlo del estante y desenrollarlo. Lo que vi se me quedaría grabado en la memoria para los restos.

Se trataba de una especie de revista gruesa, con textos en un idioma extraño, aunque lo que llamaba poderosamente la atención eran las fotos. Imágenes en blanco y negro como las dos que ilustraban la portada: un hombre de una delgadez tan extrema que más parecía un esqueleto, los ojos nadando aterrados en las cuencas, despidiendo un brillo oscuro que traspasaba el mate del papel, los pómulos afilados a punto de horadar la piel, disfrazado con una especie de pijama basto de rayas gruesas, tocado con un gorro del mismo tejido que le bailaba sobre el cráneo casi pelado y mirando a la cámara como si quisiera tirar de uno hasta atraparlo. En el pecho mostraba unos números y una estrella de seis puntas de color más claro. A su lado, otra foto mostraba un montón de cuerpos, despojos humanos apilados hasta la altura de lo que parecía un almacén o una pequeña fábrica. En las páginas del interior se repetían las imágenes: largas filas de hombres y mujeres cadavéricos, edificios oscuros de ladrillo con artefactos de metal —eran las cámaras de gas—, patios embarrados, barracas de madera con literas de troncos y toscas estufas de metal, verjas y vías de tren, torretas de vigilancia erizadas de alambre de espino, naves repletas de maletas, pilas de zapatos, muñecas, dientes de oro y plata... Los hombres-esqueleto aparecían a menudo en las fotos, en un rincón, siempre con la mirada brillante, negra y perdida, en solitario o en pequeños grupos. En el texto, nombres en mayúscula que ya no olvidaría: Dachau, Treblinka, Bergen-Belsen, Mauthausen... Auschwitz.

El Microbio debió de notar algo, el silencio tal vez, la respiración contenida. Preguntó no sé qué antes de arrimarse a curiosear, lo que me dio tiempo a volver a enrollar aquello sin que llegara a echarle la vista encima.

No recuerdo bien qué edad tendríamos cuando los Padres empezaron a llevarnos al cine. Sí en cambio que las primeras veces eran pelis de dibujos y era solo la Madre la que nos acercaba, en la camioneta que nos llevaba hasta Diego de León, a ver *Arturo* o *El libro de la selva*. En algún momento, sin embargo, el Padre se incorporó a esas salidas, que pronto tuvieron unas reglas estrictas, como era habitual en él: siempre en domingo, siempre a sesión de cuatro, siempre unas chocolatinas redondas o unas palomitas (nunca las dos cosas), siempre cines pequeños donde daban películas en blanco y negro.

Supongo que el recuerdo de la primera visita a una sala de cine está tan entreverado de fantasías, de imágenes tomadas prestadas de otras películas y de la huella que dejaron en mi ánimo otras primeras veces que solo por un azar se parecerá en algo a lo que en verdad ocurrió. Pero la memoria me devuelve la fascinación de los terciopelos rojos de los butacones de madera abatibles, las casacas entorchadas de los acomodadores, las entradas de papel basto burdamente impresas —a menudo con el título de la película—, entresuelos con barandillas bruñidas a las que aferrarse, la fanfarria mil veces repetida del NO-DO (¡El mundo entero al alcance de los españoles!), las voces del vendedor de chocolatinas y bombón helado, la oscuridad de la sala, el runrún metálico de la cinta deslizándose afanosa sobre el proyector. Seguro que la mitad de todo eso es inventada, y la otra mitad envuelta en brumas, pero no lo es la gozosa algarabía con que recibíamos al león de la Metro, el afán por no caernos del asiento plegado en vertical para auparnos, la emoción de las imágenes que rasgaban súbitamente la oscuridad, el ansia con que buscaba la mano de la Madre cuando los fotogramas despertaban temores que el sabor salado de las palomitas no calmaban. Pese a los años transcurridos, a lo distintas que fueron las salas que después frecuenté, a lo mucho que cambiaron luego mis gustos cinematográficos, debo confesar que pocas sensaciones me devuelven con tanta fuerza a los años de la infancia como el arranque de la proyección en medio de una sala oscura, la promesa de una sesión —ya rara vez de programa doble— arrebujado en la butaca y dispuesto a vivir durante una hora y media en el pellejo de otros.

En los días que siguieron al hallazgo regresé varias veces en busca de aquellas fotos. Repugnancia y curiosidad era lo que me producía el contemplarlas; pero lo que me hacía volver a ellas eran la fascinación y el horror. Seguí en un mapa los territorios de los campos. En algunas fotos, reconocí las siniestras calaveras asentadas sobre dos tibias cruzadas de las SS —¿quién sería el canalla que robó el emblema a mis admirados piratas de los mares cálidos?—, los cascos de acero con un reborde que cubría la nuca, los pesados abrigos de paño y la colección de insignias con esvásticas. Eran los mismos soldados alemanes —o germanos, como me gustaba decir entonces— que salían en mis tebeos de hazañas bélicas, oficiales enemigos pero dotados de un elevado sentido del honor, que jamás remataban a un prisionero, que afrontaban los inviernos de las estepas tan empapados de nieve como de nostalgia, que luchaban una guerra cuyo significado nadie se cuestionaba. Obedecían órdenes y se comportaban como hombres.

Lo que mostraban las fotos, en cambio, no se parecía ni remotamente a los tebeos. Allí no había honor, ni valor, ni sacrificio, solo la aniquilación de personas que no parecían enemigas de nadie, sin fuerzas para empuñar un fusil, sin más voluntad que la de sobrevivir al hambre extrema, al frío atroz, al sufrimiento infligido por lo que parecían ser otros hombres. Repasé muchas veces las fotos esos días, hasta que llegaron a poblar mis pesadillas. En ellas me contemplaba arrastrándome perdido y escuálido por un gigantesco campo rodeado de alambradas y cubierto de barracones vacíos de cuyas chimeneas salía un humo espeso. Oía ladrar a los perros. Oía chillar a los guardianes. Y veía a la Madre, con la mirada perdida en las cuencas hundidas, saludarme a lo lejos, al otro lado de una explanada, antes de desaparecer en la bruma.

Cuando comenzó a acompañarnos el Padre cambió también el tipo de salas, y las películas. Eran cines más pequeños, con acomodadores no siempre uniformados, donde proyectaban ciclos de Buster Keaton, de Charlot, el Gordo y el Flaco, los hermanos Marx, todas las de Tarzán en que peleaba siempre bajo el agua con un mismo cocodrilo al que una y otra vez acababa dando muerte a cuchilladas.

De Buster Keaton me gustaban las persecuciones masivas —centenares de novias de blanco, de policías de oscuro, de obreros de mono o de soldados— que trataban de darle alcance mientras el de la cara de palo se ocultaba a la vuelta de una esquina, apoyado en una fachada que acababa desplomándose sobre su cabeza —aunque él se salvaba colándose por el vano de una ventana— o simplemente corría como alma que lleva el diablo. Charlot tenía aquella manera peculiar de andar a saltitos haciendo girar el bastón, desastradamente trajeado —bombín y todo— aunque le tocara desempeñar trabajos sucios y penosos. Stan y Laurel eran entonces mis favoritos: la voz meliflua del Flaco desencadenando toda clase de accidentes, golpes, caídas y desaguisados con la inocencia de quien acaba de llegar y aún no se ha hecho cargo de lo que está pasando;

la altiva estupidez del Gordo, que abusaba de la debilidad de su compinche.

Estaban bien aquellas películas, aunque reconozco que eran raras. Cuando en el comedor del colegio —largas mesas corridas montadas diariamente en el gimnasio, tapizadas de cestas de pan, jarras metálicas y platos de loza blanca— nos poníamos el lunes a repasar las pelis del fin de semana («¿te acuerdas cuando...?»), yo apenas podía meter baza. El Lindo Galindo era el que las contaba mejor, con lujo de detalles, sin apenas titubeos, manteniendo el ritmo y el suspense de modo que te hacía sentir —casi— como si estuvieras sentado en la butaca. Pero eran otras pelis: un puñado de casacas rojas defendiendo a base de descargas de fusilería una colina en *Zulú* —y aquí Pepe Guerra hacía honor a su apellido y nos contaba con detalle cómo una voz de mando bien coordinada podía aumentar el mortífero poder de fuego de las tropas indígenas—. En *El astronauta*, Tony Leblanc, con el que tanto nos reíamos en la tele cuando hacía de Kid Tarao —«Estoy hecho un mulo»—, se monta una NASA local y autárquica en un pueblo manchego. O *¿Dónde está el frente?*, con Jerry Lewis poniendo muecas —qué distinto a Pamplinas— mientras intentaba ganar él solo la guerra. La misma guerra de los soldados y los esqueletos de la revista enrollada oculta en la estantería.

Esas eran pelis que nosotros no íbamos a ver al cine. Y no es que no nos gustasen las que veíamos. Pero ¿cómo explicarles a Guerra, al Gordo Varela o a Joserra que había una extraña poesía en la historia de un estirado profesor que recoge a un niño-lobo en el bosque y trata de enseñarle a hablar, a manejar los cubiertos —qué empeño el del cole en que peláramos la naranja con tenedor y cuchillo— o a leer con unos cartones cubiertos de dibujos? Además de que hablaban poco, en francés y para más inri en blanco y negro.

—Yo quiero ir a ver *El Barón Rojo*.

—Y yo —secundó el Microbio.

—Vaya —respondió el Padre—. Pensaba llevaros a ver una de Harold Lloyd.

—¿Salen aviones?

—No —dudó el Padre—, yo diría que no.

—¿Y es de guerra?

—No, esta de hoy... Pero es muy divertida.

—Ya. Pero seguro que no es en colores, ¿a que no?

El Padre me miró muy serio. Luego miró a la Madre, que agarró el periódico, conciliadora.

—Esperad que mire la cartelera. ¿Cómo decís que se llama?

—*El Barón Rojo*. Es de un as de la aviación germana que pilota un biplano que es de color rojo y tiene una ametralladora así montada junto a la cabina y lleva una especie de casco de cuero y un pañuelo blanco, y dice el Gordo Varela que es muy fardona...

—Aquí dice que es para mayores de catorce años.

—Mierda —saltó el Microbio.

—Vigila esa boca, chaval.

Así que tampoco esa vez tocó. Pero algo debió de dejarle huella al Padre, porque a las dos semanas nos llevó a ver la reposición de *Lawrence de Arabia,* en cinemascope y technicolor. Y además de la bolsa de palomitas nos cayó una cocacola.

Una tarde, finalmente, me atreví a preguntarle al Padre.

—Donde está la Madre... ¿tienen que ir vestidos con uniforme de presos?

—¿Cómo dices, Manuel?

—Que si tienen que llevar un traje de esos a rayas...

—¿Y una bola atada al pie? —Se rió—. Me parece que has estado leyendo muchos tebeos.

—No, en serio.

—¿Por qué preguntas eso, Manu? —Había en su voz un tono de preocupación intensa, de desolación casi.

Le expliqué lo de la revista enrollada. Que lo mismo la Madre adelgazaba demasiado, y hasta puede que enfermase. Que no entendía qué había hecho —qué habían hecho aquellos hombres-esqueleto— para que la tratasen así. El Padre me llevó a dar una vuelta por el barrio —era una de esas tardes tibias de primavera en que el sol recorría perezoso su camino hacia el ocaso—, agarrado del hombro, mientras me contaba cómo era la vida en la cárcel. Que comían bien, aunque no le sobraban los paquetes que le mandábamos, que Amalio también había estado encerrado, y aunque no era plato de gusto, que tampoco se le veía tan mal, ¿verdad? Que lo peor de la cárcel no era el frío, o el hambre, o el estar alejado de los tuyos, sino el solo hecho de estar encerrado, de no poder elegir dónde pasar la siguiente tarde, de saber que fuera seguía la vida y a ti no te dejaban asomarte. Un día, y otro, y otro. Que pensara lo que había hecho yo —cada tarde, cada mañana, cada fin de semana— en estos últimos meses: montones de esas cosas eran una quimera para alguien que está en la cárcel. Pero que la Madre volvería pronto. Sana y salva, y con más ganas de achucharnos que de comerse un plato de macarrones.

—¿Y los hombres de las fotos?

Entonces, camino ya del Mojácar, antes de tomar una cocacola y unas aceitunas rellenas, el Padre me dio mi primera lección de historia. En tono profesoral, sosegado, me contó lo que había pasado en aquella guerra, y por qué un puñado de hombres habían decidido que había otros que no merecían ser tratados como personas, y los habían encerrado en guetos, y luego obligado a llevar marcas en la ropa, y a cerrar sus negocios, a dejar sus empleos, a vender sus propiedades... hasta que finalmente decidieron exterminarlos. También me dijo que no me preocupara si no lograba entenderlo aún; que él ya tenía treinta y cuatro años y todavía no lo comprendía del todo.

DESDE SIEMPRE ME HABÍA GUSTADO COLECCIONAR COSAS: CROMOS de fútbol, por supuesto, y luego otros de ciencias, batallas históricas o fauna del mundo, los primeros que salieron autoadhesivos; tebeos de Astérix, canicas cuando llegaba la temporada, plomos de los que el abuelo Antonio colgaba en los sedales para la pesca, sellos que despegábamos con cuidado al vapor de una cazuela... y también cerillas. La primera colección digna de tal nombre, la primera colección original y que hubiera podido haberme convertido en un coleccionista profesional —si es que tal cosa existe—, fue de cerillas. O, más precisamente, de carteritas de cerillas. Apenas se ven ya, pero en mi infancia abundaban aquellas carteras de cartón con su doble o triple hilera de fósforos montados sobre láminas del mismo material. Las había de todos los colores: la cabeza habitualmente de un rojo intenso se teñía en ocasiones de azul metálico, de amarillo, de blanco níveo, y el cartón cubría todas las gamas imaginables. No había restaurante o bar que se preciase en aquel Madrid que no se hiciera imprimir, por millares, imagino, su nombre y señas en una de aquellas carterillas. Las más lujosas reproducían fotos del local o de los productos especialidad de la casa. Las más elegantes, mis favoritas, apenas unas letras en tipografías selectas bien combinadas con el color del cartón y de los propios fósforos.

Comencé la colección bajo el influjo de esa fascinación por el fuego que todos los niños experimentan en algún momento. El prodigio del fósforo frotándose contra la superficie rugosa del rascador, el intenso olor a azufre de la ignición, la maravilla de la llama chisporroteante, la lenta reducción a ceniza del cartón, la madera o el papel encerado. Estas, las que merecían con más propiedad el nombre de cerillas, creo que eran las que fabricaba la Fosforera Española, en cajas de treinta unidades, de la altura de una moneda de cincuenta pesetas; las de palo, que algunos preferían, se comercializaban bajo la marca de Fósforos del Pirineo. Las carteritas, en cambio, no consigo recordar quién las manufacturaba. Solo que me encantaba su brillo, la sorpresa de los colores y el mundo de bares y cenas de los mayores al que eran mi única ventana.

Precisamente porque carecíamos de otras fuentes de ingresos, resultó particularmente dolorosa la suspensión de paga durante tres meses. Claro, que la que habíamos liado era gorda. En realidad, la que lió el Microbio, porque yo era relativamente inocente, como traté de explicarle al Padre cuando nos llamó a su despacho.

Primero hubo que oír la preceptiva charla o exhortación preparatoria.

—Chicos, ya sois mayores, con once y ocho años...

—Diez —protesté. El Padre siempre lo hacía: te sumaba años si había que depurar responsabilidades, y te los restaba si se trataba de otorgar derechos o privilegios.

—Prácticamente once y ocho... Edad más que de sobra para que...

Me ahorraré la parrafada. Cualquiera que haya pasado por una situación parecida está de sobra familiarizado con la línea del discurso: primero se trabaja el sentido de culpa, luego se subraya la gravedad de los hechos y finalmente se anuncian las sanciones y se dejan planear sombrías amenazas de cara al futuro.

Concluida la fase preliminar, entramos en la probatoria: el hábil interrogatorio.

—A ver, ¿quién cogió las cerillas?

No era el tipo de pregunta que me interesara. Porque aunque quien manejó las cerillas fue el Microbio, se daban circunstancias que me incriminaban. La caja la había birlado al descuido un par de días antes del salón, tras una de aquellas reuniones nocturnas que dejaban los ceniceros repletos de colillas y papelitos desmigajados y parcialmente quemados. En realidad, había papelitos, cenizas y colillas en casi cualquier parte imaginable, incluyendo las tazas de café, la maceta del cactus, que era la única planta capaz de sobrevivir en el cargado ambiente de las conspiraciones, y la alfombra de pelo basto que alguien había traído de Marruecos y que aún olía a camello. También solían quedar paquetes de tabaco arrugados, la mayoría vacíos, chapas de cervezas y cocacolas y cajas de cerillas. A veces hasta algún mechero. Ese era el botín más deseado cuando nos colábamos de buena mañana: yo, alguna caja de cerillas para mi colección; Jonás, un mechero en uso y con reserva de gas.

Mi hermano pequeño tenía aún más debilidad por el fuego que yo. En realidad, le pirraba quemar cosas, y por tanto le fascinaban las herramientas de quemar. Cualquier cosa que produjera llama, incluyendo la estufa de hierro colado que calentaba el agua de los radiadores, el brasero de cisco de la casa de los Abuelos, los fuegos de butano de la cocina y, por supuesto, cerillas y mecheros. Por eso los Padres le llamaban pirómano, una palabra que le gustó mucho a Josean, el profe de lengua, cuando la colé en una redacción. Por eso también la Madre se cuidaba muy mucho de que no quedaran instrumentos de fuego al finalizar las reuniones; pero el Padre no era tan meticuloso. Estaba claro: el fuego lo había iniciado el Microbio pirómano. Pero el Padre estaba preguntando otra cosa:

—Repito: ¿quién cogió las cerillas?

—Fui yo —confesé—, pero es que...

—No quiero es-ques —cortó tajante—. Estoy de esqueadores hasta la mismísima coronilla. Bien, ya hemos sacado algo en claro. Y ahora, ¿a quién se le ocurrió la brillante idea de prender fuego a los indios?

Jonás miraba fijamente al suelo y musitó, inaudible casi, para el cuello de su camisa:

—Los estaba arreglando.

Era la Madre quien se había encargado desde el principio de alimentar mi colección de cajas de cerillas. Cada vez que salían los Padres, sobre todo de noche, a cenar, lo que ocurría al menos una noche por semana, el Padre se despedía con la misma frase.

—¿Dónde vais? —solía preguntar yo.

—A contar frailes, que falta uno.

La Madre, por su parte, nunca olvidaba traerme la correspondiente carterita del restaurante o del bar donde habían tomado unas copas. Así empecé a familiarizarme con un mundo de casas de comidas, tabernas, pubs, boîtes y cocktail-bars. Todos esos locales que los Padres y sus amigos frecuentaban tenían su nombre —a veces salían en las conversaciones de los mayores, el Óliver, el Pub de Santa Bárbara, El Junco— y casi todos su caja de cerillas correspondiente. Las carteritas de cerillas las apilaba en una caja de plástico; casi a diario la sacaba del estante para comprobar el estado de la colección, recrearme en la belleza de alguna de mis piezas favoritas o reordenarlas según criterios nuevos. La caja tenía la parte de abajo gris y una tapa transparente —lo que permitía apreciar el efecto del conjunto de un vistazo— y en origen había contenido unas decenas de folios papel carbón del que se utilizaba en la máquina de escribir.

La misma máquina, por cierto, que salió de la casa unas semanas después de la detención de la Madre. Según nos explicó ella misma en una de sus cartas, ya que no podía seguir trabajando como antes, iba a intentar trabajar desde la cárcel. Con sus conocimientos de francés, un diccionario y un paquete de folios iba a empezar a traducir un libro que le había encargado un editor amigo. Contaba también lo difícil que le había sido conseguir que le autorizasen a tener ese material en la celda, aunque finalmente —la Madre decía que gracias al Abuelo— se lo habían permitido. Al parecer, montones de cosas que eran muy sencillas en la calle resultaban enormemente complicadas estando entre rejas.

En aquella carta nos explicaba también la Madre por qué no quería que fuésemos a verla. Se podía «comunicar» con ella —ir a visitarla a los locutorios, y charlar a través de una especie de mamparas de cristal— y normalmente el Padre y la tía Mari iban todas las semanas a verla, le llevaban paquetes con ropa o comida, lápices o desodorante, no sé, cosas que allí le hacían falta y que agradecía un montón. Pero no quería que Jonás o yo fuéramos a «comunicar»: primero porque los días de visita eran entre semana, y no podíamos perder clases para ir a verla. Y cuando a veces autorizaban comunicaciones los domingos, era la Madre la que prefería que no conociésemos la prisión, ni siquiera de paso, aunque decía que nos echaba un montón de menos, pero que con vernos en foto, con nuestras cartas y con lo que le contaban los mayores se hacía una idea. Yo pensaba entonces que le daba vergüenza que la viéramos tras los barrotes. Ahora sé que las razones eran otras.

Entre las cosas que era complicado conseguir en la cárcel estaban las cerillas. No las normales, para prender los pitillos —ahora solo diez al día, nos escribió supongo que más resignada que orgullosa—, que se compraban en el economato, sino las de las carteras de los restaurantes y el drugstore de Fuencarral.

Lo de arreglar los indios era verdad. A veces los vaqueros que guardábamos en un gran tambor de detergente —un cilindro de cartón con capacidad para diez kilos— se estropeaban, se les caía el fusil que empuñaban, o más frecuentemente se rompía de tanto doblar la peana de plástico sobre la que se sostenían. Entonces se aplicaba una cerilla a las partes que se quisiera unir, se derretía el plástico hasta volverlas a pegar, y a esperar a que enfriase. Esta operación le resultaba especialmente deliciosa al Microbio, la mejor excusa para hacer un uso creativo del fuego. Aquellos goterones de plástico ardiente dejaban una buena quemadura sobre la piel, pero en general era una labor relativamente inofensiva: era fácil de apagar, e incluso si se manchaba el suelo o la mesa resultaba más o menos sencillo retirar los restos una vez en frío. Lo peor era el delator olor del plástico quemado, ascendiéndose en densas volutas de humo negro que manchaban cuanto tocaban, pero bastaba con elegir bien el momento, de modo que hubiera tiempo para abrir la ventana y airear la estancia, y moderar la cantidad de plástico quemado en cada operación. No era tan difícil: lo habíamos hecho decenas de veces, y los indios y vaqueros que abultaban el tambor de Colón eran prueba y víctimas de ello.

Lo que falló aquella mañana fue precisamente el momento. Yo estaba en el cuarto cuando el Microbio inició la operación de soldadura. De hecho, era cierto que las cerillas se las había proporcionado yo, una caja que había descuidado uno de aquellos amaneceres en el salón. Ya digo que el Padre era poco cuidadoso con los residuos. Me pareció de lo más normal prestárselas al Microbio cuando me dijo que tenía que arreglar unos apaches; por alguna razón, los indios eran más proclives a romperse que los vaqueros, y en general los de a pie cascaban más que los de caballería, con sus piernas arqueadas, y que los que luchaban cuerpo a tierra; la clave era la tira de plástico que les servía de peana, no siempre todo lo estable que se precisaba, y que por tanto había que doblar a menudo para conseguir que la figura se mantuviera sobre las dos piernas. De tanto doblarlos, sin embargo, a veces se rompían. Y ahí venía el arreglo.

Yo me había ido al baño mientras, cuando oí a la tía Mari llamando para la merienda. Así que fui directamente a la cocina para untarme la nocilla como a mí me gustaba, con generosidad. Con mucha generosidad. Como

Jonás no hacía caso, la Tía fue a buscarle a la habitación. Al oír los pasos y la voz que se acercaba, el Microbio, temiendo ser cazado en flagrante delito de piromanía, metió el indio que estaba arreglando de nuevo en el tambor que compartían con los cowboys, caballos con o sin silla y una diezmada escuadra de la legión desfilando a paso ligero —regalo del abuelo Antonio—, y corrió a la puerta para frenar la entrada de la Tía gritando: «¡Ya estoy!».

Camino de la cocina cayó en la cuenta de que a lo mejor el indio podría seguir ardiendo. Decidió ir a comprobar. En efecto: la llama no se había apagado, y Jonás se afanaba en sacar las tres o cuatro figuras —eso me dijo— a las que se había extendido el fuego, cuando volvió a oír los pasos y la voz de la tía Mari. Y no se le ocurrió nada mejor que volver a depositar todo el plástico en el tambor, taparlo y, para evitar que el humo le delatase, guardarlo en el armario de la ropa.

Ahora sí, satisfecho de haber resuelto el problema, se dirigió a la cocina a dar cuenta de la merienda.

—Cuatro semanas sin televisión y tres meses sin paga —fue la sentencia inapelable del Padre—. Y no creáis que con eso alcanza a cubrir ni la centésima parte de los gastos. Por no hablar del susto que nos llevamos.

En realidad, el susto se lo había llevado la tía Mari, que cuando empezó a oler a humo siguió el rastro del pestazo, abrió la puerta de nuestro cuarto y se encontró con un armario empotrado que destilaba nubarrones negros y malolientes por las junturas. Tal fue el susto que cerró de golpe la puerta y salió chillando al rellano, donde don Emilio, el vecino de enfrente, se hizo cargo enseguida de la situación. El equipamiento no era el más profesional —camiseta de tirantes con los brazos velludos al aire, el cubo de la fregona cargado de agua con lejía y un pañuelo mojado sobre la boca, como los forajidos de las pelis del Oeste—, pero el resultado fue notablemente eficaz. Por fortuna, la combustión no había producido mucha llama y bastaron un par de descargas de agua para sofocar el incendio. Ni siquiera hizo falta llamar a los bomberos. De los indios, claro, solo sobrevivieron los del fondo del tambor. La ropa del armario, en cambio, quedó en buena parte inservible. Aunque el Padre se empeñó en aprovechar lo que se pudiera. Así que durante unas semanas anduve con las partes apestando a plástico quemado, como los pocos calzoncillos que se habían salvado de la quema.

—Suerte que el armario era empotrado —le explicó luego don Emilio al Padre.

Las penas accesorias se publicaron más tarde, cuando se hubieron marchado don Emilio y su señora, a los que el Padre quiso agradecer en persona los servicios prestados, y acabaron pasando al salón de casa a tomar unas cervezas con olivas y una lata de berberechos. Yo recogía los botellines cuando las pronunció el Padre:

—Ah, y tú Manu, ya estás tirando la colección de cerillas.

—Pero si...

—Ni perosís, ni leches. No quiero más material incendiario al alcance de vuestras incendiarias zarpas.

Así acabó una carrera de coleccionista que, ya nadie puede saberlo, tal vez me hubiera llevado lejos. En adelante, jamás conseguí ya recuperar aquel empeño colector de los inicios: el miedo a que un accidente o una decisión arbitraria desbaratara la colección bastaba para desinflar el entusiasmo que pudiera abrigar. Y más cuando en todo este asunto yo era, ya lo he dicho, relativamente inocente. Son cosas que, lo piensa uno luego, te dejan huella, aunque sea de modo sordo, sin que casi lo adviertas. Luego, un día rascas y ves la cicatriz, medio olvidada, pero marcada a fuego.

DINERO

LA DETENCIÓN DE LA MADRE TUVO ALGUNAS REPERCUSIONES para la economía familiar. Dejó de entrar un sueldo en casa, y el Padre encontró trabajo por las tardes en publicidad. Había pasado a ser un pluriempleado, como los padres de tantos de mis amigos: por las mañanas acudía al banco, y por las tardes se encerraba en la agencia Auger e Hijos, cuyo dueño era un señor mayor con acento mexicano y permanentemente trajeado que repartía caramelos y pescozones cuando aparecíamos por allí. El resultado fue que nos quedamos, casi a la vez, sin padre ni madre en los días entre semana, aunque la tía Mari hacía las veces de todo lo que podía, mientras seguía estudiando por las mañanas.

También de rebote aprendimos el valor del dinero, que quedó reducido a la paga pelada. Antes, la Madre siempre se las apañaba para estirar la asignación sufragando algunas golosinas extras a la salida del cole, un *Superman* de Novaro si tocaba médico y los céntimos que quedaban de vueltas cuando me mandaba a la pollería a por media docena de huevos, o a la papelería a por bolis. Su hermana Mari, en cambio, era más estricta con el monedero, y al Padre casi ni le veíamos el pelo. Bueno, quizá exagero, pero seguro que aquello no se veía todos los días: el Padre entrando por la puerta a las seis de la tarde, con un enorme paquete bajo el brazo y una sonrisa que se le salía de la cara.

—¡Chicos! ¡Mirad lo que os traigo!

El Microbio y yo dábamos tales saltos para arrebatárselo de las manos que al final le hicimos rodar por el suelo. Pero no se enfadó: al contrario, se reía mientras nos ayudaba a desgarrar el papel de envolver. No es que nos hiciera falta ayuda, ni tampoco que el Padre no supiera lo que había dentro. Simplemente, imagino, quería participar de nuestra emoción. No era para menos: según el Padre, los regalos eran para las ocasiones. Incluso se enfadaba cuando el abuelo Antonio se presentaba con juguetes en alguna de sus visitas. Así que, si llegaba cargado con aquel enorme envoltorio, es que había algo grande que celebrar.

—¡Hala! —exclamé.

—¡Haláááá! —completó Jonás.

Era el Scalextric Monza. Dos circuitos posibles, con cuentavueltas eléctrico, chicanes, puentes de cartón-ladrillo y dos MacLaren de Fórmula 1: el rojo para Jonás y el azul de Jackie Stewart para mí. El mejor regalo del mundo.

—Me pido el azul —se me adelantó Jonás.

Estaba tan contento que ni siquiera quise disputárselo. Tiempo habría. Cuando la tía Mari asomó por la puerta ya estábamos peleándonos con las pestañas de las piezas que iban dibujando un circuito mágico, de un negro rugoso y surcado por dos raíles metálicos. La pista iba cobrando forma aunque, como descubrimos pronto, no la forma adecuada.

—Vaya, cuñado, llegaron los Reyes Magos antes de fechas.

Todos hicimos como que no habíamos captado el retintín que cargaba esas palabras. El Padre se levantó del suelo, sonriente y exhausto.

—Sí. Hemos vendido una campaña a la Pénsil, y la cosa pinta pero que muy-muy bien. Anda, llama a la vecinita, que esta noche salimos a festejar.

—No tengo ganas —dijo volviéndole la espalda.

El Padre siguió a la tía Mari a la cocina, mientras nosotros nos peleábamos con las piezas. Ni siquiera regresaron cuando empecé a pegarme con Jonás, aunque cada vez gritábamos más.

—Trae, que no sabes.

—Sí que sé, imbécil.

—¡Te voy a destrozar, Microbio!

Luego vino el Padre, ya sin la sonrisa, aunque aún de humor para ayudarnos a arreglar el desaguisado. Conseguimos montar la pista, conectar los cables y arrancar las primeras vueltas, accidentadas de entrada, porque los empalmes de las guías metálicas no estaban bien hechos, y después porque faltaban los peraltes. El Padre lo fue arreglando todo y pasamos dos horas viendo circular los bólidos, cada vuelta más rápidos, antes de que la Tía nos avisara para cenar.

—Jooooo.

Pero la Tía no estaba para bromas.

—¿Por qué dijo el Padre que parece que no te guste que le vayan bien las cosas, Mari? —le pregunté mientras nos arropaba en la cama, después de contarnos un cuento del libro gordo de los hermanos Grimm: el de los tres pelos del Diablo, uno de mis favoritos.

—No es que no me guste, corazón. Me gusta, pero me acuerdo de vuestra madre, que estará allí triste, y me da coraje que podamos estar contentos y ella no esté aquí con vosotros para verlo.

—Ella también se pondrá contenta cuando lo sepa, ¿no? —respondí.

Jonás se había quedado pensativo.

—Mari —dijo al fin—, ¿tú crees que si devolvemos el Scalextric mamá volverá antes?

La Tía no respondió, pero le dio un abrazo de esos de estrujar, le llamó tonto y salió corriendo del cuarto.

—¿Ves como eres tonto, Microbio?

Luego me dio un almohadazo, y empezó la guerra, como casi todas las noches. Solo que aquella vez no entraron a abroncarnos ni el Padre, que había salido, ni la tía Mari.

Aquel domingo, después de comer, el Padre se sentó con nosotros a ver un nuevo episodio de *Viaje al fondo del mar:* un pulpo descomunal aferraba al *Seaview* con sus tentáculos y esta vez no valía el truco de la inmersión. La presión del agua aumentaba a medida que el cefalópodo —nombre técnico— sumergía la nave cada vez a más profundidad. Pero al final el capitán consiguió engañarlo soltando no sé qué por los lanzatorpedos y la tripulación pudo volver sana y salva a la superficie. O sea, como todos los domingos.

Entonces el Padre nos propuso una partida de Scalextric. Montamos el circuito grande, en ocho, con los dos puentes, y empezamos a echar carreras por turnos. La verdad es que el Padre no conseguía ganar ni una, y yo me preguntaba si tendría algo que ver con el hecho de que la tía Mari y él llevaran unos días sin hablarse. Desde la noche en que vino con el regalo, y salió después de celebración.

La Tía no nos había dicho nada, pero aquella mañana cuando fuimos a entrar al dormitorio para darle al Padre los buenos días antes de salir para coger el autobús del cole nos dijo que no merecía la pena.

—No está. Andará por ahí de juerga, todavía.

Hoy no te puedo escribir a troche y moche, porque tengo que hacer los deberes. Tú siempre nos dices que los deberes son lo primero. Yo estoy bien, y Manu, casi. La tía Mari también está bien y papi, pero trabaja demasiado. Pero ya sabemos cómo están las cosas.

Oye, ya que dices que estás de «vacaciones», ¿nos vas a traer un regalo cuando vuelvas, como cuando fuistes con papi a Francia?

Te echo de menos, aunque dice el tontolaba de Manu que no debo ponértelo, porque te pondrás triste, pero quiero que sepas que yo no estoy triste, ni siquiera cuando te echo de menos. Pero es solo así, o sea, que te echo de menos.

Gracias por el regalo, no me importa qué sea.

Un besito,

JONÁS

Posdata: Te he pintado una batalla de platillos volantes en el resto del papel. Hoy no tengo tiempo de colorearlos, pero el próximo día te los pinto de verde, y las llamas de rojo y amarillo, ¿vale? Hablando de llamas... No, mejor te lo cuento otro día. Ah, papi nos compró un Scalextric, que farda un montón.

DE TODOS MIS PROFESORES DE AQUEL CURSO —CON LA POSIBLE   73
excepción de Maite, la de Naturales, aunque por razones
bien distintas— mi favorito era el de Sociales, Andrés, un
hombre que parecía un manual de economía corporal: gesto adusto, modales sobrios y palabras justas. A mí me parecía mayorcísimo, con sus andares pausados, el bigote erizado y la americana de tweed, pero imagino que andaría
en la cuarentena. Arrancaba entonces la costumbre, o
manía, no sé yo, de tutear a los profesores y llamarles por
el nombre de pila. Andrés se plegó de mala gana a lo
segundo, pero el tuteo no lo consintió nunca en sus clases:
ni para dirigirse a nosotros, generalmente por el apellido, ni
desde luego para tratarle a él. A decir verdad, no había
en Andrés nada que le hiciera particularmente notable a
primera vista: carecía de la simpatía de Josean, el de Lengua, del genio tremebundo de Julio Vicente, el de Mates,
del atildamiento afeminado del de Gimnasia, y desde luego no olía ni de lejos tan bien como Maite. Aunque mien-
to; sí tenía un rasgo extraordinario, una voz grave, bien
modulada, que acompañaba a la perfección la prosodia un
tanto solemne de las clases. Con el trato, según avanzaba
el curso, fuimos descubriendo más cosas de aquel hombre

severo, que iniciaba y concluía sus clases con una puntualidad inamovible, sin que pareciera sobrarle ni faltarle un minuto, dejando siempre cerrado el círculo de la explicación y un punto de intriga en el aire:

—Pero de esto, apreciados pupilos, hablaremos en la próxima clase.

De la mano de Andrés le fui tomando afición a los mapas, que nos invitaba a examinar sin apresuramientos, llamando nuestra atención sobre los significados de las curvas de nivel o los tesoros escondidos bajo los topónimos. También, claro, a la historia, que nos contaba entremezclando datos curiosos con intentos de trasladarnos en el tiempo a través de sucedidos y anécdotas pequeñas. Por último, gracias al profe de Sociales comencé a interesarme por los libros, las novelas o los versos. Yo era lector entusiasta de tebeos, que comentaba e intercambiaba con un par de compañeros, pero hasta entonces no se me había ocurrido atreverme con nada que no llevara, como poco, una página de dibujos por cada página de texto. Andrés se presentaba siempre en el aula cargando algún libro. A menudo se enfrascaba en la lectura mientras hacíamos los ejercicios, pero a veces era para leernos algún fragmento, unos versos, o hacía circular por la clase un grueso tomo de historia para que se nos quedara grabado un personaje, un suceso, una estampa urbana o un cuadro.

Resulta curioso: se diría que debería ser lo más normal del mundo, pero cuando me paro a pensar no consigo recordar a ningún otro de mis profesores, ni siquiera más adelante, en el instituto o la facultad, llevando libros a clase de ese modo. Un profesor con un libro. Nada más. Nada menos.

—Esto no puede seguir así.

Congregados en torno a Galindo, que hipaba y moqueaba, inusualmente desaliñado, los faldones de la camisa blanca asomando bajo el jersey de lana, tratábamos de consolarle, aunque las cabezas gachas y las miradas huidizas delataban bien a las claras el regusto amargo de la resignación.

En el origen de aquella improvisada reunión en los baños de los de primaria estaba la guerra de las etiquetas, uno de esos juegos brutales que surgen a veces en el patio de un colegio —o en los barracones del cuartel, en los campamentos, las residencias de estudiantes, imagino que también en las trincheras—, marcan una actividad frenética durante unos días, movilizan las energías de todos en un empeño que nadie sabe de dónde vino y acaban desapareciendo en un chispazo, casi tan inesperadamente como estallaron. La guerra de las etiquetas duró tres días contados, antes de que la dirección tomara cartas en el asunto, y a su paso dejó un reguero de víctimas de diversa consideración. Al Lindo Galindo le había tocado ser una de ellas.

El juego consistía en arrancar las etiquetas de las prendas del uniforme escolar, inicialmente con cuidado, pero con absoluta brutalidad si se ofrecía resistencia. Imposible saber de dónde surgió la idea... Quizá fuera simplemente fruto de la rotura accidental de una primera etiqueta en un agarrón, o vaya uno a saber. Lo cierto es que, cuando nos quisimos dar cuenta, Alcázar —el matón de la clase— y un par de secuaces se habían hecho fuertes bajo la canasta más alejada de la puerta y se dedicaban a capturar a alguno de los chavales que jugaban en el patio, arrinconarle e irle arrancando las etiquetas de la camisa, la corbata, el jersey y, lo peor, los pantalones. Más valía no resistirse, porque la operación se llevaba a cabo de todas formas. Por las malas o por las peores.

Al final del segundo recreo del primer día el número de los desetiquetadores había crecido hasta la docena, y los métodos eran cada vez más expeditivos. Claro, que ya no nos iban a pillar desprevenidos, y nos refugiábamos en la sala de estudios, las aulas o en los aledaños de alguno de los profesores que vigilaban el patio. Pero lo que planteaba Joserra con tono decidido era algo completamente distinto.

—Hay que plantarles cara. Si no, ¿para qué mierdas sirven los camaradas?

Al Lindo Galindo no solo le llamábamos así porque nos hiciera gracia la rima, aunque era él quien más arte se daba a la hora de adjudicar motes, sino porque era, en aquel mundo de hombres en miniatura cuyos héroes llevaban dos revólveres sobre los muslos o una espada de acero toledano entre las manos, lo más parecido que cabía imaginar a un dandi. O a un pisaverde, como oí una vez en un capítulo de *El Virginiano*. Siempre pulcro, con la corbata bien anudada, las uñas impolutas, la raya del pantalón trazada a plomada y la del pelo perfectamente recta, sin una arruga ni un lamparón en la gabardina, los zapatos tan brillantes que deslumbraban en los días de sol. Hasta se lavaba las manos antes y después de hacer pis, y conseguía mantener el olor a colonia casi hasta la hora de salir de clase.

Y no es que fuera uno de esos chavales que no se levantaban del pupitre ni participaban en los juegos más movidos. Al contrario, era un buen centrocampista, con una rara visión del juego, y tenía una carrera rápida que le hacía salir entre los primeros elegidos cuando echábamos a pies para polis y cacos. Solo que antes de ponerse a jugar se desprendía del jersey y la corbata y los dejaba pulcramente doblados en alguna de las repisas de las ventanas, cuidándose bien de limpiarla antes con el pañuelo. Pese a estas rarezas, o quizá porque era de los altos de la clase y, si llegaba el caso, no le importaba tampoco liarse a mamporros, a Galindo se le respetaba en la clase, y ni siquiera Alcázar solía meterse con él. Por eso se atrevió a salir al patio, pensando que lo de las etiquetas no iba con él.

Se plantó muy serio ante los dos captores que corrían a su encuentro, que por un momento se detuvieron, intimidados. Entonces sonó la voz bronca del matón, mientras se sumaba al equipo de captura con una risotada, gritando:

—¡A por él!

Una de esas tardes había fallado Josean, el de Lengua. Cuando eso ocurría no solían darnos muchas explicaciones; solo asomaba alguien, decía que no podía venir y que estuviéramos tranquilos hasta que llegara un suplente. Si el que asomaba era Arturo, el vigilante, dejaba además a alguien sentado en el pupitre del profesor para que apuntara a los que montasen jarana. Pero esta vez fue Andrés quien apareció en la puerta del aula, con un tomaco bajo el brazo y la cara seria de siempre. Tras el follón inicial alguien propuso que contáramos chistes, un truco muy socorrido cuando había que llenar una hora en el aula, en vísperas de vacaciones sobre todo. Pero Andrés traía otra idea en la cabeza. Colocó la silla delante de la mesa, en el hueco frente a la pizarra, se acomodó lo mejor que pudo, anunció que nos iba a leer un poco, abrió el volumen y comenzó a entonar con voz grave y dicción esmerada.

Lo que contaba el libro era la infancia de un chaval que vivía, como nosotros, en Madrid, en el Lavapiés de hacía un montón de años. A diferencia de nosotros, la mayoría niños de papá, este era hijo de una lavandera: vivían en una buhardilla angosta, sin baño, claro, y la madre las pasaba canutas para sacar adelante a los chicos. Y sin embargo lo que contaba transmitía alegría, la luz de las riberas del Manzanares con las sábanas secándose al sol, la cháchara de las vecinas, los juegos de los chaveas del barrio. A los dos minutos de arrancar la lectura había cesado cualquier actividad paralela en la clase; todos escuchábamos embobados, sorbiendo boquiabiertos los párrafos de aquel libro en la voz de nuestro profesor, transportados literalmente a otro tiempo. Nunca había sentido el poder de las palabras con la intensidad de entonces. Se me quedó grabado, sin que sepa por qué, un pasaje donde describía la visión fugaz del sobaco peludo de una de las vecinas, que comparaba con una pieza de tocino fresco de los puestos del mercado. El relato, sin embargo, rezumaba frescura, verdad y belleza.

Cuando concluyó la lectura, poco antes de la hora, Andrés nos contó que aquel libro no podía encontrarse en España. Ni en librerías ni en bibliotecas. Estaba prohibido y se había editado fuera, creo recordar que en México. Aunque lo había escrito un español, que había tenido que salir de aquí tras la guerra civil. Y no, no es que contara nada terrible, ni contuviera insultos a dios, a la patria o al caudillo. Simplemente, a los que mandaban en España no les gustaba, y como esto era una dictadura, pues había que jorobarse. Creo que fue la primera vez que oía a alguien en el colegio, a un profesor, llamarla así. Incluso en casa, donde se utilizaban toda clase de apelativos, lo más habitual era hablar de «el régimen». Pero Andrés había ido más lejos: lo había llamado por su nombre.

Las palabras de Joserra tuvieron el efecto de una sacudida. El Gordo Varela, víctima habitual de las tropelías de Alcázar, fue el primero en secundarle: había que hacer algo. Vale, concedí, todos conformes, pero ¿qué? ¿Qué podíamos hacer que no fuera lo de siempre, tratar de escurrir el bulto y suspirar aliviados cuando le tocaba a otro?

La idea fue del propio Galindo, que había dejado de hipar, y entre todos la fuimos puliendo hasta convertirla en algo que podría llamarse un plan. Bastó el breve rato que pasamos cavilando para que empezáramos a sentirnos vengados; la mera posibilidad de tomar las riendas, y responder al fuego con fuego... Sí, solo con eso hubiera merecido la pena.

Terminamos de ultimar detalles después de la comida, reunidos de nuevo en el baño. El secreto, como en cualquier plan de acción, era imperativo. La emoción, sin embargo, nos impidió concentrarnos en la materia de las clases de después de comer, que nos pasamos intercambiando miradas, papelitos en clave y guiños de complicidad.

Al día siguiente vinieron a buscarle. A diferencia de cuando detuvieron a la Madre, el día que la policía se llevó a nuestro profesor de Sociales yo estaba allí para verlo. O vislumbrarlo, más bien, pues fue apenas un instante. Primero Arturo entró apresurado en el aula, al poco de concluir el primer recreo, y cuchicheó algo al oído del profesor de Lengua. Josean siguió con la lección —sintagma nominal y sintagma verbal, la copa de aquellos árboles sintácticos que me traerían a mal traer aún dos o tres cursos más— aunque sin dejar de lanzar ojeadas furtivas al patio. Yo estaba sentado junto a la ventana, así que pude ver cómo Andrés atravesaba las canchas acompañado por dos hombres trajeados, con gafas de sol, uno mucho más alto que el otro. No iba esposado, juraría, al menos no que yo pudiera ver desde la altura de los dos pisos que nos separaban del patio. Tampoco caminaba abatido, solo serio, como era él. A la entrada le esperaba la directora. Los policías se detuvieron un momento, mientras ellos cambiaban unas frases, imagino que de ánimo. Luego reanudaron la marcha, y le vi salir, con la dignidad serena con que plantan cara a las desgracias algunos hombres. Los hombres de bien, imagino.

Preguntando a los profesores, o pegando los trozos de conversación que logramos atrapar al descuido, pudimos enterarnos de qué había pasado. Supimos así que a Andrés lo habían detenido por actividad sindical; se preparaba una huelga en la enseñanza —cuántas palabras nuevas aprendíamos en aquellos días— y Andrés estaba metido en el fregado. Por suerte, aquella detención no tuvo mayores consecuencias, y al cabo de una semana estaba de vuelta en el colegio. Una semana era suerte, imagino; o tal vez la policía andaba detrás de peces más gordos.

Cuando Alcázar entró corriendo en los baños persiguiendo a Galindo, se encontró con algunas sorpresas. Para empezar, llegó solo: Manolo el Pera, el Gordo Varela y yo mismo nos habíamos apostado en la entrada del pasillo y cerramos el paso a sus acompañantes. Junto a los lavabos, Galindo le esperaba a pie firme, acompañado de Joserra.

—Venga, mariquita, sácate ese jersey nuevo.

—Te vas a arrepentir, Alcázar —le advirtió Joserra.

—Yo me arrepentiré, pero la nenaza esta que me dé el jersey. Si no, que no hubiera venido chuleando al patio de que esta vez no le íbamos a quitar la etiqueta.

Se aproximó amenazante a nuestro amigo, pero la respuesta no fue la esperada.

—Como quieras —concedió Galindo, mientras le ofrecía la prenda.

Cuando el matón forcejeaba para arrancar su trofeo de tela, comenzamos a entrar de uno en uno en la sala. Primero los camaradas, y cerrando la marcha, Eduardo, de quinto. Un chaval canijo, con cara de pocos amigos, flacucho pero con muy malas pulgas. Aunque no era su físico ni su carácter lo que hacía que nadie se metiera con él, sino más bien el hecho de ser el hijo de la directora.

—¿Qué coño crees que haces con mi jersey, imbécil?

—Emmm, ¿es tuyo? Yo creía que era de... —balbuceó el matón a duras penas, sin saber ya qué hacer con el cuerpo del delito, que le quemaba las manos.

—Trae para acá, macaco. Y escucha lo que van a decirte.

Alcázar se había ido arrimando a la pared del fondo, arrumbados del todo los modales de gallito. Nos miraba uno por uno, no tanto asustado como atónito: aquello no tenía sentido..., los ratones acorralando al gato, el mundo al revés. Fue Galindo el que habló.

—Se ha acabado la mierda de las etiquetas, Alcázar. Vas a salir al patio y les vas a decir a los de tu banda que el juego ya no es divertido. Y te vas a encargar de que no se arranque una sola etiqueta más en este colegio.

—¿Y si no lo hago, qué?

—Saldré yo personalmente —le contestó Eduardo, arrimándole la cara a la nariz— a sacarte la etiqueta de los calzoncillos delante de todo el mundo. ¿Está claro?

Ni respondió. Salió de los baños a toda prisa en cuanto Eduardo se apartó del camino y le abrimos pasillo. La guerra de las etiquetas tocó a su fin, y aunque Alcázar aún anduvo unos meses matoneando, las cosas no volvieron a ser como antes. A Eduardo le propusimos ingresar en la célula, pero declinó la oferta: según creo, acabó creando una propia, con otros chavales de su curso.

Andrés regresó a clase una mañana lluviosa de mediados de abril, con su cartera llena de libros y sus modales adustos, aunque no pudo evitar percatarse de la alegría que a algunos —los de la célula, pero también otros compañeros— se nos pintó en la cara al verle aparecer. Caminó serio hacia su pupitre, con el «Buenos días» seco que esa vez nos pareció algo más cálido que de costumbre. Se detuvo de pie ante el encerado y esbozó —imagino que más para sí mismo que para nosotros— una sonrisa antes de comenzar con su homenaje privado a otro de sus autores de cabecera:

—Decíamos ayer...

Aquel día estuvo hablándonos de poetas: de algunos que habían pasado por las cárceles, como Fray Luis de León o Miguel Hernández; de otros que habían conocido el exilio, como Machado o Neruda. Iba entreverando la charla con la lectura de algunos versos. Se me quedaron, por alguna razón, unas estrofas de Bertolt Brecht, un poeta y autor teatral alemán que se refería a Hitler como «el pintor de brocha gorda». Hablaba de los motivos para escribir poesía cuando los tiempos eran malos para la lírica.

En mí combaten
el entusiasmo por el manzano en flor
y el horror por los discursos del pintor de brocha gorda.
Pero solo esto último
me impulsa a escribir.

AL PADRE LE EMPEZABAN A IR MUY BIEN LAS COSAS EN SU NUEVO trabajo de la agencia de publicidad. Los del Scalextric no fueron los únicos coches que entraron en la casa. El Seiscientos heredado del abuelo Antonio fue reemplazado por un flamante Renault 4-L, el cuatrolatas blanco en cuyo maletero habríamos de cubrir los niños los trayectos cortos, hacinados hasta cuatro de diversas edades entre las bolsas y dando botes sobre unas mantas. Cuanto peor era el camino mayor la diversión, y no había para nosotros mejor asiento que la perrera. Aún me recuerdo mirando disolverse el paisaje entre el polvo de la carretera, la nariz pegada al cristal inclinado y esa felicidad plena de la que solo somos capaces en la infancia.

—¿Jugamos a las familias? —propuso Jaime el Seta.

—¡Me pido perro! —replicó el Microbio con entusiasmo.

Estrenamos el cuatrolatas una tarde de primavera con una excursión al monte de El Pardo, coronada con patatas fritas y boquerones en vinagre en un mesón al que se acercaban los jabalís a mendigar mendrugos de pan. Aunque no estaba de humor, el Padre convenció a la tía Mari de que nos acompañara. Mientras Jonás y yo enredábamos con los madelmans entre los hierros de los columpios, los mayores se entregaban al rito mil veces repetido de las cañitas y la conversación.

—Cualquiera diría que te sienta mal —dijo el Padre, cuando creyó que no le oíamos.

—No me sienta mal.

—Entonces ¿a qué viene esa cara?

La Tía se le quedó mirando como solía mirarnos a nosotros cuando habíamos hecho una gorda y dudaba si empezar a repartir gritos o quitarse directamente la zapatilla.

—No es nada, joder. Pero... parece que no tengas a tu mujer en la cárcel.

Ahora fue el Padre quien se quedó mudo. Mari dio un sorbo a la cerveza, mientras clavaba los ojos en el suelo. Luego se volvió hacia nosotros, que estábamos probando la impermeabilidad del traje de hombre-rana del madelman en un charco.

—¡Niños! Pero, pero ¿es que nunca podéis inventar nada bueno?

El despacho del Padre en la agencia Auger e Hijos no era muy grande, pero tenía un perchero de metal cromado, una mesa de madera brillante y repleta de papeles y un cajón para artículos de escritorio que parecía el cofre del tesoro: cajas de clips, una grapadora de acero reluciente, un bote de tinta negra, flomasters de varios colores y hojas de papel grueso en las que siempre nos dejaba dibujar un rato. También había una secretaria que se llamaba Rosa y hablaba sin parar, pellizcándonos las mejillas y mareándonos con un perfume de esos que llaman embriagadores.

El dueño de la agencia, el señor Auger, era un gordinflón con grandes bolsas bajo los ojos y modales ceremoniosos, que olía a loción de barbería y vestía siempre traje con chaleco. Un día nos explicó lo importante que era el Padre en la empresa.

—Vuestro padre, chavales, es el mejor creativo de Auger e Hijos. Podéis estar orgullosos de él.

Mientras se alejaba por el pasillo con andares de campesino que aún no se ha aclimatado al terno y la moqueta, el Padre nos dedicó una mueca como diciendo «No le hagáis mucho caso». Y yo me acordé de un chiste de soldados mexicanos que tenían que empujar un camión para sacarlo de una zanja, y no había forma.

Aunque le costara confesarlo, el Padre estaba orgulloso de su trabajo. No solo porque nos había permitido comprar el cuatrolatas y el Scalextric, sino porque le divertía inventarse eslóganes absurdos y letras para *jingles* pegadizos.

Tres sabores, tres colores,
tres gustos para tu boca,
prueba a cerrar los ojos
y adivina cuál te toca.

Ese era el de caramelos Gusis, pero también estaba la campaña del café Nuar —«Nuar, aromas de cafetal»— y un porrón de ellas que nos contaba a veces por las noches, cuando regresaba a casa cansado pero a tiempo de charlar un rato con Jonás y conmigo antes de dormir. Al Microbio y a mí, más que los carteles de los anuncios e incluso más que las bolsas de muestra de caramelos, nos gustaba el despacho del Padre en la agencia, las tardes que la tía Mari tenía exámenes o cosas que hacer y no había con quién dejarnos. Nos sentábamos en la mesa a pintar, o nos llevaban a una sala donde había una tele, y Rosa asomaba de vez en cuando a preguntar si queríamos otra cocacola. La respuesta era siempre sí, igual que ella siempre decía «Oooh» abriendo mucho los ojos cuando le mostrábamos los dibujos de Stukas bombardeando en picado y batallas de platillos volantes.

Una de las cosas para las que servía el cuatrolatas era para las excursiones de los domingos, normalmente a un pueblo con pinar o con río. No sé por qué, pero los que tenían pinar no solían tener río, y viceversa. Estas partidas de campo las compartíamos con algunos amigos de los Padres que tenían hijos pequeños; de todos ellos, el más amigo era Jaime el Seta. No recuerdo bien por qué le llamábamos el Seta, si no es porque se apellidaba Goizueta. Claro, que su padre tenía el mismo apellido y todos le llamaban Xavi.

Jaime tenía madera de líder. Era casi un año más pequeño que yo, y aunque íbamos al mismo colegio rara vez jugábamos juntos en el patio. La jerarquía de las clases en pocos sitios es más rígida que en el tiempo del recreo: los de segundo no se mezclan con los de tercero, y hasta en los partidos de fútbol los del A jugábamos siempre contra los del B. Solo la disputa con los de octavo, que ocupaban las canchas de baloncesto con balones duros como piedras y carreras desgarbadas de adolescentes, podía unirnos temporalmente. Pero fuera del colegio, en nuestras excursiones, o en las largas tardes en su casa, Jaime el Seta era el inventor y el árbitro de todos nuestros juegos. La tía Mari decía que era muy espabilado, que se veía que era hijo de padres separados, pero yo en lo único que lo notaba era en que cuando íbamos al campo unas veces venía con Xavi y otras con Maite. Aunque a veces venían los dos, como aquel día.

Jaime cargaba como de costumbre con una bolsa repleta de sorpresas. Un balón oblongo de rugby que olía a caucho nuevo, un boomerang, tres gi-joes con pelo rapado a cepillo que doblaban en estatura a nuestros escuálidos madelmans y un avión de alas de membrana plástica que volaba impulsado por la fuerza de torsión de una gruesa goma sobre la hélice. En la perrera del cuatrolatas viajaban, además de nosotros tres y los juguetes del Seta, la paella requemada de carbonilla, la nevera con hielos y repleta de botellines de Skol y un par de sillas plegables. Delante, la tía Mari, Maite, la madre del Seta, el Padre al volante y Amalio de copiloto. Había al menos otro coche —el de Xavi, donde viajaba Aurelio el Frutero, el novio de la tía Mari—, y creo que alguno más. Nosotros asomábamos la nariz desde el maletero y escuchábamos a los mayores discutir y cantar un repertorio sorprendente de canciones que siempre incluían versos con luchas, barricadas, banderas, guerrilleros y cosas por el estilo. Mi favorita era una italiana, que el Padre entonaba con brío y una voz de barítono, con tanto entusiasmo que Amalio tenía que llamarle la atención para que no acabara dando un volantazo que nos sacara del carril.

> *Avanti popolo, alla riscossa*
> *bandiera rossa, bandiera rossa.*
> *Avanti popolo, alla riscossa*
> *bandiera rossa trionferà.*

Acabamos aprendiendo todas aquellas canciones, aunque teníamos instrucciones estrictas de no repetirlas fuera de casa, ni siquiera cuando estábamos con los Abuelos. Sobre todo cuando estábamos con los Abuelos, en realidad. Claro, que yo se las enseñaba a Joserra y a los demás miembros de la célula, pero ellos no iban a irse de la lengua. Entre canción y canción se iba pasando el trayecto, contando matrículas que no llevaran la M y viendo pasar en las márgenes de la carretera los campos pelados de Castilla, de un verde intenso en primavera, tachonados del rojo de las amapolas —que aún no habían sido desterradas a las lindes y los barbechos—, punteados de pueblos a los que se llegaba por carreteras estrechas y que estaban presididos siempre por el campanario de una iglesia enorme que en su desproporción casaba mal con las pocas docenas de casas y las calles embarradas. Luego, al llegar a nuestro destino, una parada en el bar para comprar una barra de hielo para las cervezas y un par de hogazas de pan para la comida. Aquella vez, cuando enfilábamos la cuesta que daba entrada al pueblo, poco antes de pasar ante el yugo y las flechas que anunciaban el nombre de la población, a Jonás le llamó la atención la inmensa mole que sobresalía de un manto de tejas rojas.

—¿Qué es aquello tan grande, papá?

—¿Aquello? Es una iglesia, Jonás, el campanario de una iglesia.

—¿Y qué es una iglesia?

Los mayores se rieron, supongo que satisfechos de los frutos de la educación laica, o tal vez asustados de lo lejos que había llegado su empeño en mantenernos alejados de aquello que tanto marcó su propia infancia: sotanas, sacristanes, rosarios y hostias consagradas. El único que no se rió fue Amalio.

—Es un sitio donde los curas engañan a la gente.

Aunque no tenía una idea cabal de qué eran los curas, a Jonás le debió de parecer suficiente la respuesta, o le amedrentó el tono serio del camarada Amalio, porque no volvió a preguntar nada más.

Aquel domingo, la excursión tenía río, o más bien riachuelo, y pilón cuajado de batracios, zancudos y yerbas de agua en medio de una dehesa cercada a las afueras del pueblo, así que los niños andábamos a la caza del renacuajo, comandados por el Seta, mientras los mayores se dedicaban a preparar la paella. Lo de cazar renacuajos tenía su miga; para empezar, aunque la captura era acuática, se trataba de caza y no de pesca. Por lo demás, no es que fuera complicado: era cuestión de tener un bote y estar dispuesto a empaparse hasta los sobacos a base de meter el brazo en el agua. La cosa era que en realidad nosotros andábamos detrás de las ranas. Así que examinábamos con cuidado los ejemplares capturados, desechando los que tuvieran las aletas demasiado grandes o las patas sin desarrollar, con la esperanza de que si nos llevábamos a casa los más maduros llegarían a convertirse en ranas. No sabría decir por qué, pero ninguno sobrevivió tanto.

Los mayores, mientras tanto, seguían con los preparativos de la comida, que consistían sobre todo en charlar y cantar: hablaban los hombres que iban a rebuscar leña para el fuego, cotorreaban las mujeres al tiempo que abrían las latas de sardinillas y mejillones y repartían bolsas de patatas fritas y cucuruchos de aceitunas manzanilla en platos, parloteaban todos juntos mientras trasegaban las cervezas del aperitivo, de dos en dos, en asamblea, sentados a una

89

mesa, de pie o en corros en los que se ofrecía tabaco y se palmoteaban espaldas y se sobaban barrigas.

Nunca he conocido a nadie que hablase tanto, tan seguido y tan fervientemente como ese puñado de mayores que abrigó mi infancia. Y cuando se cansaban de charlar, cantaban.

Habían vertido ya el arroz en las paellas, que borboteaban cantarinas sobre el lecho de leña y piedras, arrojando espumarajos de azafrán que llegaban hasta nosotros y encendían el apetito aún por saciar, cuando apareció por el camino la Guardia Civil. Así se decía, la Guardia Civil, aunque en realidad solo asomaba una pareja a pie, los capotes largos, el tricornio lanzando al aire destellos de charol y los máuseres al hombro. Lo que delató su llegada a la dehesa fue la súbita caída de la animación de las conversaciones, las cabezas que se giraban hacia el camino, sucesiva, discretamente. El silencio incómodo dio pronto paso a un simulacro de conversación, en el que ni las palabras, ni la alegría de los tonos, ni la vehemencia de las réplicas eran más que un remedo torpe de lo que habían sido instantes atrás.

—Buenas tardes —saludó el civil más viejo, llevándose la mano al tricornio.

—Buenas tardes —respondieron varios de los mayores, aunque fue Amalio el que dio un paso hacia los guardias.

—¿Qué? ¿De comida campestre?

—Efectivamente, mi cabo —contestó Amalio.

—¿Vienen de Madrid?

—Sí, de la capital. Lo habrán notado por los coches... No les hemos ofrecido, ¿quieren un botellín?

—No, por Dios, estamos de servicio.

El guardia más joven se había alejado a curiosear entre los bultos —neveritas de campo, bolsas de comida, garrafas de vino, alguna mochila con ropa o toallas—. Junto a los bultos estábamos los niños, que contemplábamos con interés la escena y nos aferrábamos a los botes de los renacuajos como si fuera a requisárnoslos. Ni se molestó en mirarlos; husmeó un poco a nuestro alrededor, fijándose especialmente en un manojo de periódicos y un par de libros, pero nada le pareció fuera de lo corriente. Se volvió hacia el cabo, le hizo un gesto de conformidad y echó a andar al encuentro del mando. Fue entonces cuando se produjo uno de esos momentos de silencio, una pausa en las conversaciones que, cuando hay congregado cierto número de gente, suele saludarse con un «ha pasado un ángel». Hasta se diría que el aire había dejado de soplar. De ahí que las palabras que el Microbio dirigió al Seta, en tono quedo, y casi susurradas, se oyeran con nitidez en la dehesa.

—¿Qué es un picoleto, Seta?

Desde luego, llegaron a oídos del cabo —nos lo contó luego la tía Mari—, que torció el gesto, dijo que ya estaba bien de cháchara, que quería ver papeles, y Amalio se puso serio, se atrevió a preguntar el motivo, que si había algo irregular. El cabo empezó a sulfurarse, a Amalio se le debió de escapar la palabra «atropello», la tía Mari se acercó a intentar mediar, pero el Frutero se lo impidió, agarrándola del brazo.

—No te metas en líos, Mari, espera a ver.

A la Tía casi se le saltaban las lágrimas de la rabia, mientras el Padre y el resto de los hombres trataban de tranquilizar a las mujeres y sosegar los ánimos.

Aquella noche, Amalio durmió en el cuartelillo del pueblo del enorme campanario. Xavi se quedó a esperar a que lo soltaran, con el coche, y nosotros tiramos para Madrid, con el estómago vacío y la congoja en el cuerpo.

Jaime el Seta se quedó a dormir con nosotros, así que a Jonás y a mí nos tocó compartir cama. La tortilla de patatas de la tía Mari nos supo a gloria; el Microbio tomó ración extra, aunque ni así se le quitó la cara de abrumado en toda la noche. Ni siquiera el vaso de colacao con galletas pareció templarle.

Después de una fantástica pelea de almohadas —es difícil de creer la diferencia que va de dos a tres: el famoso salto cualitativo— el Microbio por fin soltó lo que le venía reconcomiendo.

—Oye, Manu, ¿tú crees que a la Madre la llevaron a la cárcel por algo que yo dije?

El Seta, con una carcajada descarada, le arreó un tremendo almohadazo.

—¡Picoleto! Que además de bocazas eres un picoleto.

—¡Picoleto! —repetí, mientras le enviaba otro viaje con el cojín.

Así hasta que llegó la tía Mari, y nos encontró al Seta y a mí empuñando las almohadas con cara de culpables. Se llevó a Jonás, que lloraba, al salón, y para mí me prometió un castigo del que no me iba a librar ni Dios.

Desde entonces, cuando realmente quería picar a mi hermano solo tenía que chillarle —o susurrarle al oído—: «¡Microbio picoleto!».

Querida Eli, hermana:

Solo unas líneas aprovechando la carta de tu maridito para mandarte un fuerte abrazo y las noticias telegráficas del día. Perdona la racanería, pero voy de cráneo entre las cosas de la facultad, los amigos, el cuidado de los niños (están muy bien, como imaginas) y las otras mil cosas que hay que hacer, en esta casa y fuera de ella, sobre todo esta última semana que Manuel estuvo en París de la Francia.

Imagino que ya habrás visto las imágenes de la voladura del edificio del diario *Madrid*. Impresionantes, ¿no, hermanita? El otro día me comentaba un amigo común que había que analizarlas en clave simbólica, pero aún no me enteré a qué se refería. Aparte que ya sabes tú que si me dan a elegir entre la simbólica y la dialéctica, me inclino por la segunda con los ojos cerrados, que diría el sabio de Tréveris.

Los niños, ya te digo, están bien: sacan nota, se peinan con raya y mantienen ordenado su cuarto... a veces. Te echan de menos, claro, como todos, pero hacemos lo imposible por llenar tu ausencia para que estén entretenidos.

Cada día que pasa los veo más guapos: tanto que me pregunto quién tuvo la brillante idea de ponerle Jonás a un niño tan guapo.

Por lo demás, todo bien. Manuel disfrutó de París y volvió cargado de regalitos. En ausencia del hombre de la casa me las apañé para llevar esta casa a buen puerto. En realidad, ya me voy acostumbrando a gobernar yo solita la nave, mientras el capitán trabaja como un mulo y de vez en cuando baja a tierra con los amigotes a dar cuenta de unas botellas de ron. El Capitán Araña parece, el tío. Noooo, es broma: solo que a veces siento que esta responsabilidad me viene grande (en realidad es que me viene grande: para algo soy la hermana pequeña) y me iría bien algo de ayuda con la aguja de marear. Bueno, pues eso, no te mareo más.

No te metas en (más) líos, y sal lo antes que puedas, que hay mucho que hacer aquí fuera.

Un beso fuerte,

Mari

EL EXTRANJERO ERA ENTONCES AÚN UN LUGAR LEJANO, EXTRAÑO
y prodigioso. Un lugar, por descontado, que pertenecía en
exclusiva a los mayores: solo ellos lo conocían y solo ellos
regresaban de allí cargados de regalos que destilaban el
encanto ya perdido de lo exótico y el inconfundible brillo
de lo moderno. Bolígrafos de dieciséis colores, que a duras
penas resistían una semana de manipular sin descanso los
resortes que empujaban cada una de las puntas; libros con
troquelados sorprendentes o desplegables ocultos como
tesoros en un cofre; breas multicolores que al soplarlas desde un tubo se convertían en globos de goma de una elasti-
cidad y dureza tan superiores a nuestras pompas de jabón
de fabricación casera que se dirían prácticamente irrom-
pibles; coches en miniatura de acabados minuciosos en
puertas y salpicaderos, bolas locas, cuadernos inusitados
como frutos tropicales.

De uno de aquellos viajes conservo una caja de crayo-
nes ajados pero intactos: era tal la fascinación que ejercían
esos colores que ni el Microbio ni yo nos atrevimos más
que a rozarlos una vez sobre el papel, acariciando las puntas levemente romas para comprobar el resultado sobre
una hoja de nuestros blocs cuadriculados. Jonás coloreó

uno de aquellos *drakkars* vikingos de fauces feroces coronando la proa y velas de grandes listas blancas y rojas, que estuvo muchos años clavado con una chincheta en la pared de nuestro cuarto común, a la derecha del póster de Snoopy.

La llegada del Padre, que aquella primavera había viajado solo a París, dejándonos al cuidado de la tía Mari, fue el preludio de un rápido deshacer las maletas rebosantes de tesoros. La mayoría, libros y discos que descartábamos rápidamente, alguna botella y algún paquete de quesos y patés, prendas de ropa. Pero no tardaron en aparecer nuestros regalos: juguetes, artículos de papelería sobre todo, algún libro. También había un envoltorio atado con un lazo sobre el cartón, semioculto en los pliegues de un jersey, que el Padre entregó a la Tía con cierto misterio y una declaración solemne que no recabó respuesta alguna.

—Es la última vez, Mari. Ya se lo puedes decir a Amalio.

La madre del Rubio Salazar estuvo un rato al teléfono hablando con la Tía, que al colgar nos anunció que vendría esa tarde a hacernos una visita. El Rubio era un niño de aspecto angelical, más bajo que la mayoría de la clase, tranquilo y de modales suaves que descollaba sobre todo en clase de gimnasia. Los bancos, las espalderas y hasta el temido plinto no guardaban misterios para él, que empalmaba volteretas, mortales y acrobacias con una elegancia que encandilaba al viejo profesor de Educación Física —siempre trajeado y en ocasiones con un caniche blanco en brazos— y despertaba la envidia de los que, más torpes, veíamos con temor cómo Salazar sonreía al oír acodarse el trampolín a los pies del potro para una sesión de saltos.

Salazar era hijo único. Justo lo que el Microbio de vez en cuando confesaba querer ser, y lo que yo no me atrevía siquiera a desear. Alguna vez me había invitado a su casa, un piso enorme en un barrio céntrico, con una habitación repleta de juguetes que inspeccionábamos con ansia y desempaquetábamos no tanto por jugar con ellos como por el gozo del descubrimiento. El Rubio, sin embargo, apenas les prestaba atención mientras mordisqueaba unas onzas de chocolate blanco, otro de los tesoros de la casa, que cortaba de enormes tabletas guardadas en un aparador. Imagino que si le conociera ahora diría que era un chaval tímido, aunque no apocado, de pocas palabras contadas y muchas sonrisas. Un buen chico de buena familia.

Y no es que nuestra familia fuera mala, pero era otra cosa. Casi nadie en el colegio sabía que la Madre estaba en la cárcel. Joserra sí, claro, y el resto de los miembros de la célula. La directora también, pero ella no contaba. De cara a los demás, el Padre nos había aleccionado para que diéramos las menos explicaciones posibles y, si preguntaban, para que dijéramos que había tenido que ir a Galicia a cuidar de un pariente enfermo. Cierto que no se entendía muy bien que si ella estaba allí, por qué vivía con nosotros su hermana, que hubiera podido perfectamente estar cuidando a aquel pariente. La verdad es que nunca nadie preguntó tanto.

Al Rubio Salazar lo que le gustaba de venir a casa era el descampado; ese era el motivo de la llamada de su madre. En el barrio del Rubio no había solares con terraplenes, ni escombreras, ni malezas a dos pasos de la casa, ni un charco con un palmo de lodo. Todo eso lo había descubierto una vez que le invitamos a un cumpleaños y nos dejaron salir a dar una vuelta. Volvió a su casa embarrado pero feliz. El descampado, imagino, era para el Rubio Salazar como un país extranjero.

Como venía ocurriendo con alguna frecuencia desde que la Tía salía menos con el Frutero, Amalio apareció aquella tarde y se encerraron en el cuarto a charlar. De vez en cuando asomaba Mari, pero debían de estar tratando asuntos importantes porque ni siquiera se molestó en recordarnos que apagáramos la tele cuando acabó la programación infantil. Así que el Microbio y yo pudimos disfrutar de una rara fruta prohibida: *Por tierra, mar y aire.* Era un programa de propaganda sobre lo que entonces aún se llamaban los tres ejércitos. Nada de eufemismos como Fuerzas Armadas o Ministerio de Defensa; los ejércitos eran tres, cada uno con su correspondiente ministro: Tierra, Armada y Ejército del Aire, este último con un escalafón repleto de pilotos aguerridos y una dotación de aparatos que hubiera avergonzado al Barón Rojo. Aun así, nos sabíamos de memoria las evoluciones de los ágiles Saetas —una especie de avión a reacción de juguete, de fabricación nacional y casi casera— y los primeros Mirages comprados a Francia. Junto a ellos, los carros de combate de la División Acorazada que parecían de maniobras perpetuas, pese a que cabía sospechar que la mayoría de las veces no daba para pagar el fuel. Y sobre todo tropas, muchas tropas. Los sorches en uniforme de campaña, sonriendo entre pasmados y feroces cuerpo a tierra aferrados al chopo, regulares con quepis rojos, paracaidistas de boina negra y ademán chulesco o legionarios bronceados de camisa remangada. Aunque nos costaba imaginar exactamente cuándo, sabíamos que antes o después tendríamos que pasar, como todos los varones españoles, por la mili, y escuchábamos con ávida incredulidad las anécdotas que a veces nos regalaban nuestros tíos o los hermanos mayores de los chavales del barrio.

Ni a la Tía ni a los Padres les gustaba un pelo que nuestras cándidas meninges se alimentaran con semejantes manjares, pero nunca nos dieron una explicación creíble del por qué. Al fin y al cabo, el barbudo con boina del póster del despacho del Padre también tenía una metralleta en las manos, y el antimilitarismo aún no formaba parte del programa educativo. Así que se limitaban a tratar con desdén mi afición por los tanques, los obuses y el trote legionario, con o sin cabra, y a apagar la tele con cualquier excusa.

Enfrascados como estaban en sus asuntos, solo el sonido de la puerta de la calle sacó a Amalio y la tía Mari del cuarto, de donde asomaron para recibir al Padre. El intercambio de gestos y tonos fue sutil, pero lo bastante contundente como para que nadie se preocupara de lo que estábamos haciendo, pese a que se acercaba la hora del baño. Pasaron los tres al despacho del Padre, desde el que llegaban, entrecortados pero audibles, los retazos de una discusión.

—Te lo he dicho bien claro, Amalio, ni una sola vez más —esa era la voz del Padre.

Mientras tanto, había empezado el telediario y le sugerí al Microbio que tal vez por una noche podríamos dirigirnos a la ducha sin esperar instrucciones. Pero Jonás no estaba para bromas.

—Tú aquí no mandas.

Le agarré del pescuezo, rodamos por el suelo, intentó morderme y cuando ya estaba a punto de aprisionarle los brazos con las rodillas para una sesión de dolorosas tobas en la nariz, sonó de nuevo la voz del Padre.

—Por supuesto que sé lo que significa, Amalio. Lo sé perfectamente.

Se abrió la puerta del despacho, y el Microbio aprovechó mi desconcierto para librarse de la presa y salir corriendo hacia la tía Mari, fingiendo el llanto, una de sus especialidades. Pero las caras serias de los mayores frustraron cualquier conato de comedia. La Tía nos mandó a ducharnos, y desde allí, mientras nos desnudábamos y corría el agua en la bañera, escuchamos los últimos coletazos de la discusión, ahora ya sin el Responsable.

—También tengo una responsabilidad con mis hijos, Mari. ¿Quién los cuidará si caigo? ¿El Partido?

No escuchamos la respuesta de la Tía, pero sí, clara y firme, la voz de nuestro padre.

—No me jodas, Mari. No ahora. No tú.

La tarde nos saludó calurosa y fragante cuando tras una merienda apresurada salimos los cuatro de estampida camino del descampado: el Rubio Salazar, Joserra, el Microbio —no hubo forma de sacudírselo de encima— y yo mismo. El programa de actividades era apretado, y cargábamos en los bolsillos parte del equipo necesario: una caja de cerillas, las canicas, tres o cuatro petardos guardados del verano y un pitillo que le habíamos guindado a la Tía. El resto —una cantimplora llena de cocacola y los prismáticos viejos del padre de Joserra— iba colgado.

Al descampado se accedía desde la embocadura de nuestra calle, cruzando la que dividía en dos el barrio, tan ayuna de tráfico entonces que se nos permitía atravesarla sin supervisión adulta. Luego, ante nuestros ojos, un paisaje desolado de escombros formando montículos sobre un enorme solar, tal vez del tamaño de dos campos de fútbol, repleto de uralitas, lagartijas, charcos, cascotes, latas y hasta un viejo Seat Quinientos abandonado, reposando solemne sobre tres llantas oxidadas y una piedra que hacía las veces de la cuarta. En suma, a los ojos del Rubio Salazar, como a los nuestros si no nos hubiera quedado a la vuelta de la esquina, el descampado era la imagen mil veces soñada del mismísimo paraíso.

Ante la mirada fascinada del Rubio, emprendimos la gira de inspección. Joserra no podía aguantar las ganas de volar unas latas colocándoles debajo, en el borde, uno de los petardos de dos pesetas: veinticinco gramos de pólvora negra envueltos en un cilindro de cartón doblado por el extremo, del que colgaba una gruesa mecha negra. El primero tal vez había cogido humedad en el tiempo que estuvo almacenado, o quizá fuera la mecha que no estuviera en condiciones. Un zumbido seco, apenas audible, anunció el primer fracaso. Así que probamos con el que quedaba, horadando el envoltorio del otro con un clavo, derramando algo de pólvora por fuera y atándolos con un cordel que encontramos por el suelo. El estallido sonó esta vez como un trueno, cuando apenas nos había dado tiempo a asomar la cara tras un montículo y a Joserra a traspasar la cumbre de dos zancadas. La lata voló alto, tal vez cuatro, cinco metros, una enormidad a nuestros ojos, casi hasta el punto de zafarse de la gravedad terrestre.

Luego vino la visita al coche abandonado, con la habitual pelea para decidir a quién correspondería el volante, la palanca de cambios, el asiento del copiloto. Allí anduvimos un rato, dándole a la manivela de unas ventanillas que ya volaron, saltando entre los muelles que salían de los asientos y remedando con la boca el brrrm-brrrm del motor y el moc-moc del claxon. Imaginábamos ser una banda de atracadores que huían de la policía tras el asalto a un banco; tuve que esmerarme al volante para impedir que el coche volcara en las curvas, mientras el Microbio vaciaba sin interrupción los cargadores de una ametralladora —juraría que una Thompson de tambor— a la que nunca se le acababa la munición.

—¡Mascad plomo, malditos polizontes!

Hicimos pausa para repostar, con la cantimplora pasando de mano en mano; al Rubio le cedimos el privilegio de otear las escombreras con los prismáticos en busca de lagartijas, aunque él juró y perjuró que había visto dos ratas del tamaño de cabras montesas. Podría ser, pero lo cierto es que a aquellas horas de la tarde, a pleno sol, nunca nos habíamos topado con semejante fauna. Luego, después de explorar con cuidado todos los rincones del solar, de salpicarnos hasta las cejas con el agua de los charcos, de deslizarnos desmonte abajo a lomos de viejas lamas de persianas rotas, de enzarzarnos en una guerra de terrones, llegó la caída de la tarde y el momento de encender la fogata. Prendimos unos cuantos cartones, unos palos y alimentamos después la llama con los filtros de aceite que arrojaban allí desde el taller de Calixto. Empapados en grasa, ardían como la yesca seca, arrojando volutas de humo negro que impregnaban la ropa de aromas de carburos y alquitranes. La fogata era el momento del recuento, del descanso, de las miradas fascinadas al baile inacabable de las llamas, de las anécdotas de excursiones pasadas. También era la ocasión de echar al fuego los trozos de uralita, que estallaban en mil pedazos con detonaciones sordas, lanzando por el aire esquirlas sólidas y chispas humeantes.

En una de esas fue cuando el Rubio Salazar, que no se había apeado de la sonrisa en toda la tarde, quiso hacernos la demostración del salto mortal sobre la hoguera. El más difícil todavía. Mira que le dijimos que no lo hiciera. Con once años, sin embargo, uno puede sentir miedo o no sentirlo, pero cuando no nos atenaza el canguis, solo hay una palabra que describa cómo se siente uno: invulnerable.

Así que el Rubio midió las distancias con la vista, tomó carrerilla y se dispuso a dar el salto.

Las noches siguientes a su vuelta reclamamos al Padre que nos acompañara a la cama para contarnos historias de París. Nos habló del Sena, que lame los pies de los campos de Marte, de la habitación de hotel en el Quartier Latin, donde estaban cubriendo los adoquines con asfalto para que no saliera a la superficie la playa que había debajo, de las terrazas de los *bistrots* del Boulevard Saint-Michel, con sus *garçons* estirados que torcían el morro si no les convencía la propina, del enorme piso que ocupaba la agencia que había ido a visitar, junto a la plaza de l'Étoile, de la tumba de Napoleón en Los Inválidos, del Louvre, claro, de los libros de los *bouquinistes* de viejo junto al río, del mercado de las pulgas en la puerta de Clignancourt.

—Padre, y allí en París ¿hablan francés todo el rato? —preguntó el Microbio.

—No, Jonás —contestó riéndose—, por las noches, cuando se cansan, hablan español, como todo el mundo.

—Aaaah.

Nos contó que en un café trató de pedir un bollo para desayunar, que no sabía cómo se llamaba, y mientras trataba de encontrar una palabra que no fuera cruasán el camarero le espetó:

—Venga, caballero, decídase pronto que se me está formando cola —con un acento andaluz hondo y sonoro.

O cuando fue a comprar un jersey en La Samaritaine, y se le escapó un comentario de que era algo caro, y la dependienta le respondió que si esto le parecía caro que no se le ocurriera pasar por las Galeries Lafayette, que ahí sí que le iban a sacar un ojo de la cara. París, nos contó, estaba lleno de españoles, sobre todo trabajando en los bares, de criadas en las casas, de porteros, transportistas u obreros en las fábricas. Pero ni siquiera los españoles se comportaban como cuando vivían aquí. En los kioscos vendían una veintena de periódicos distintos, y la gente criticaba al Gobierno en voz alta en los cafés, y los estudiantes se manifestaban por las calles sin que los policías corrieran tras ellos porra en ristre. Había librerías —algunas también llenas de españoles— donde vendían libros que aquí estaban prohibidos, incluso libros para niños. Eso, nos contó, se llamaba en francés *liberté*. Poder hacer lo que a uno le viniera en gana, siempre que no perjudicara a los demás. Sin que le mandaran a la cárcel por ello.

—¿O sea, que en París no hay cárceles?

—Bueno, Manu, tampoco exageremos...

—A la Madre le hubiera gustado París, ¿no?

—Sí —respondió, súbitamente serio—, le habría encantado. Pero también en París la hora de apagar la luz es sagrada. *Sacrée*. Así que, enanos, un beso y a dormir.

La escayola tuvo al Rubio Salazar un mes alejado de los plintos y las espalderas. Nos miraba con envidia mientras hacíamos la carretilla gimnasio arriba y gimnasio abajo, sentado en un rincón, vestido de uniforme, cuidando del caniche del profe. Todos los de la clase habíamos firmado sobre el yeso, aún fresco, el lunes después de la excursión al descampado.

—Ha dicho mi padre que ya no puedo volver a ir a vuestra casa.

—Jo, qué pena. Lo pasamos de miedo.

—Sí —se le escapó una sonrisa—. Pero mi madre dice que ya hablaremos.

EN EL TELÉFONO DE CASA SIEMPRE SE HABLABA POCO TIEMPO, con medias palabras y a veces en clave. Eran unos tiempos en que las conferencias eran un lujo raro —«Corta ya, que corre el contador»— y las conversaciones se reducían a transmitir noticias y concertar citas. Tanto que tenía que pedir permiso antes de llamar a Joserra para proponerle una partida de Monopoly.

—Oye, ¿has hecho ya aquello?

—Sí. Aunque las mates se me han atrancado. ¿Tú te acuerdas de cómo se suman los quebrados?

—Claro.

—El numerador ¿es lo de arriba o lo de abajo?

—...

—Que si quieres una como la de ayer.

—¿Galletas? Jopé, Manu, se te entiende menos que a Alfonso Sánchez con un polvorón en la boca.

—Que si vienes a jugar al Monopoly a mi casa.

—¡Mola!

Joserra era mi amigo. Con esto quiero decir que no tenía otro. En realidad, casi nadie tenía otro. Cierto que estaban los camaradas de la célula, otros compañeros con los que te llevabas bien, había quien tenía primos, los chavales del barrio. Pero Joserra era mi amigo, y yo el suyo. O sea, que compartíamos todas las tardes de invierno, que preparábamos juntos las chapas para la vuelta ciclista cuando empezaba la temporada, que si le compraban un yoyó no podía tardar más de dos días en agenciarme uno. Éramos uña y carne, y nos parecía lo más natural del mundo echar las tardes jugando, charlando, repasando los deberes, viendo la tele o dibujando. Merendábamos lo mismo y si por nosotros hubiera sido habríamos ido juntos de vacaciones. Aunque nadie nos preguntó nunca si querríamos hacerlo, así que cuando llegaba el fin de curso al Microbio y a mí nos empaquetaban para la casa de los Abuelos, y Joserra se iba a La Manga con su madre y su hermana pequeña, que entonces era solamente un incordio, aunque llevaba ya dentro la belleza en que se convirtió más tarde. Pero de eso Joserra y yo ni sabíamos ni nos importaba aún nada.

De ahí que fuera tan duro lo de aquellos días. Joserra y yo no nos peleábamos nunca, aunque no siempre estuviéramos de acuerdo en todo. De hecho, nunca había motivos para discutir. Pero aquella tarde yo iba perdiendo la partida, Joserra tenía media ciudad erizada de hoteles —desde Lavapiés hasta el paseo del Prado— y cada vez que caía en una de sus casillas me tocaba pagar cantidades astronómicas que él me prestaba con intereses usurarios. Así que estaba contento, claro, yo no tanto, pero no era nada que no hubiera pasado antes. De modo que cuando los dados arrojaron por tercera vez consecutiva un doble, agarró la ficha roja y la depositó alegremente en la esquina del tablero que hacía de cárcel.

—¿Quieres que le diga algo a tu madre?

Lo dijo sin malicia. Simplemente estaba contento y le parecía una ocurrencia graciosa. Lo sé porque le conocía como a mí mismo, y por la cara que puso luego. Y yo sé que si hubiera ido ganando no me habría enfadado como lo hice. Cosas de chicos.

—Eres un imbécil del culo, Joserra.

—Jo, no quería..., era una...

—Un imbécil del culo y un mierdaseca. —Ya no sabía cómo parar.

—No te pongas así...

—Y lo que es por mí te puedes meter tus hotelitos y tus casitas por el culito.

Entonces es cuando levanté de un manotazo el tablero, y saltaron por los aires las casas, las tarjetas, los billetes de colores, los dados y las fichas. Joserra se levantó, asustado. Yo ya chillaba:

—¡Y además eres un tarado que no sabe ni siquiera lo que es el numerador!

—Manu, macho...

—¡Un subnormal! ¡Una cagarruta! ¡Y un imbécil!

Joserra retrocedió hasta la puerta, por donde asomó la tía Mari a ver qué pasaba. Le tendió el abrigo y le dijo que era mejor que se fuera para casa.

—¡Eso! ¡Que se vaya y no vuelva nunca más!

Cuando volvió de acompañarle hasta la puerta encontró la puerta del cuarto cerrada. Dentro, comido por la rabia, yo sollozaba como un bebé. Y en vez de regañarme por lo que acababa de hacer se sentó a mi lado, en el suelo, atusándome el pelo, abrazándome, y diciéndome muy quedo:

—Sssh, tranquilo, Manu. Ya pasará... Estate tranquilo.

Pero no pasó. Al día siguiente, camino del colegio, Joserra se me acercó a pedirme que le enseñara el cromo de Betancort, y a decirme que si íbamos a su casa a ver el partido en la tele por la tarde.

—Mejor en mi casa, ¿no?

—Mejor en la mía, Manu. La Telefunken es mejor que esa caca de General Electric.

—La que es una caca es tu Telefunken de mierda. Y tu padre es un colchonero rencoroso que se alegra si pierde el Madrid.

—¿Tú estás idiota, o qué?

No le respondí porque ya estaba corriendo a enseñarle el cromo al Lindo Galindo. Le dejé con la palabra en la boca. Aquella mañana no volvimos a cruzarnos siquiera una mirada, aunque no pude dejar de advertir que antes de la clase de Mates estaba repasando los deberes con la ayuda de Jordi el Gafas. Así que cuando sonó la campana del recreo del comedor, al echar a pies para formar los equipos, le dije a Galindo que si Joserra jugaba no contaran conmigo.

—Si juega este, conmigo no contéis.

Fue entonces él quien se dio la vuelta y se fue a leer unos tebeos de *Old Shatterhand* muy chulos que solía llevar al cole el Gordo Varela. Perdimos doce a ocho, y nos hubiera venido muy bien tener a Joserra en defensa, pero yo me sentía todo satisfecho porque por una vez le había dejado las cosas muy claritas.

De todos los sueños de mi infancia, el que guardo impreso con más viveza es uno en que me desplazaba a gran velocidad sobre el suelo, montado en algún tipo de artilugio invisible que me elevaba un palmo del terreno. Así recorría las calles del barrio, los sembrados que iluminaban la ventanilla en los viajes a Galicia, el mar, el patio del colegio. No podría decir exactamente de dónde procedía el impulso, pero sí conservo la sensación de velocidad y de ausencia de esfuerzo. No era volar, ni conducir tampoco, pero era genial y a mí me encantaban aquellos sueños.

Lo más parecido que conocí más tarde fue la sensación de montar en moto, y la primera moto en la que monté en mi vida fue la Vespa que trajo aquella mañana Aurelio el Frutero. Se la había comprado a un compañero del mercado, de segunda mano, baqueteada pero reluciente tras un lavado concienzudo. Llevaba una especie de parabrisas de plástico y unas fundas que sobresalían de los cuernos del manillar, destinadas a abrigar las manos en invierno aunque estaban claramente de más en aquella mañana de sábado. La tía Mari le estaba esperando, porque el Frutero había anunciado que vendría con una sorpresa, pero el que primero lo vio, petardeando en la calle entre los plátanos que ya empezaban a brotar y el sol peleón de la primavera, fue el Orejas Muñoz, con quien echaba una partida de robaterrenos armados de un viejo destornillador encontrado por ahí. Jonás le daba patadas al balón contra la pared, y la hermana de Joserra y sus amigas saltaban a la goma. También estaban Efrén y su panda, fumando y leyendo el *As* en un banco a pocos metros. Todos se volvieron para saludar al motorista.

—¡Frutero motorizado a la vista! —anunció Efrén.

Aurelio desmontó airoso del vehículo, sin cerrar el gas, y me llamó a voces.

—Manu, ¡avisa a tu tía que ha llegado el hombre de su vida!

Ni se me ocurrió hacerle caso. Salimos escopetados hacia la moto, con una sola idea en mente.

—Jo. ¡Es fardona! —eso lo dijo Joserra.

—¿Me darás una vuelta, Frutero? Anda, dame una vuelta. Porfa —supliqué.

—Y a mí, Frutero, yo también quiero —terció Jonás.

Pero el Frutero no iba a ceder de buenas a primeras.

—Tranquilidad, calma, buenos alimentos y mucha verdura. A ver, ¿quién va a avisar a la Tía?

—Voy yo, Aurelio, pero primero dame una vuelta —me ofrecí.

—¿Has visto cómo suena esta máquina? —y giró el puño del acelerador, a lo que el motor respondió con una nueva tanda de estertores mecánicos, antes de entonar algo vagamente parecido a un rugido.

El Frutero alzó la mirada hacia el balcón de la casa, donde tendría que haber asomado ya hacía tiempo la tía Mari, en vista del estrépito. Se conoce que andaba trasteando por dentro, o tendiendo o fregando, y no había oído la llegada del motorista.

—Bah. Esta es la de 50 —terció Efrén, que se había acercado con los mayores—. Mi primo tiene la de 180 GS, y además a estrenar. Con cromados en los apliques.

—Pues tan ricamente, le dices a tu primo que te lleve a dar un garbeíto. Y no olvides el casco, a ver si la humanidad va a tener que prescindir de ese cerebro privilegiado. Venga, Manu: monta que te doy la vuelta a la manzana mientras sale la pesada de tu tía.

No tuvo que repetirlo. Trepé al sillín como mejor pude, reculé un poco y repetí las palabras mágicas:

—Venga, Frutero, ¡dale gas!

Arrancó bruscamente y agarró la calle desierta con más afanes que bríos, arrancando a su paso una leve brisa que bebí a boca llena, asomando la cabeza tras la espalda de Aurelio, expectante como solo puede estarlo un niño que se asoma por vez primera a las sensaciones de la vida adulta, temblando con las vibraciones del motor, entusiasmado y feliz. Aurelio me gritó que me inclinara para tomar la primera curva, pero olvidó advertirme que era hacia la derecha, y tuvo que corregir la marcha de un golpe de manillar para entrar en la empinada cuesta que llevaba hacia el parque del kiosco. El siguiente giro ya supe que tenía que seguir el rumbo de su espalda. Dos curvas más y llegamos de nuevo a la altura del portal, donde nos esperaban los demás, y sobre todo el Microbio, que me tironeó del brazo para ocupar el sitio.

—Me toca a mí.

—Jo, Frutero —me resistí—. Una vuelta más.

—Nada. Circulando —zanjó—. Sube a avisar a tu tía, que ahora le toca a tu hermano.

Eché mis cuentas, y me salió que seguramente mis probabilidades de conseguir otra ronda mejorarían si hacía caso al motorista, así que le cedí el sitio al Microbio entre empujones y emprendí la carrera hacia el portal llamando a gritos a la Tía, mientras Jonás se aferraba a la espalda del motorista y la Vespa atacaba por segunda vez la vuelta a la manzana.

No tuve necesidad de subir las escaleras. Empujaba con esfuerzo la pesada puerta de metal y cristal esmerilado del portal cuando desde el balcón del segundo tronó, como un ángel justiciero, la inconfundible voz de la tía Mari.

—Pero, Frutero, ¡tú estás gilipollas o qué!

La bronca de la tía Mari y el Frutero fue épica, u homérica. En todo caso mayúscula y sin duda esdrújula. Los pelos crespos que la Tía trataba de domar a base de alisador y toga parecían vibrar electrizados; el rostro del Frutero pasaba del rojo tomate al morado berenjena, y los gritos iban y venían del salón a la cocina, colándose por el pasillo hasta nuestro cuarto, donde nos habíamos refugiado. Al Microbio le había caído un pescozón y un quién-te-dio-vela-en-este-entierro cuando se le ocurrió decir que la Vespa fardaba un montón, y que a él le había encantado. Yo, casi tres años más sabio que mi hermano, supe desde el principio que lo mejor era hacerse humo y volverse invisible.

—Pero ¿a qué clase de subnormal se le ocurre montar en una moto a dos criaturas?

—Mujer, era solo una vuelta a la manzana... —se defendía.

—¿No ves que se podían haber abierto la crisma, animal?

—No seas exagerada.

—Si es que esto me pasa por echarme de novio a un frutero.

Aquello tuvo que doler. Aurelio se quedó callado, mirando fijo a la Tía, titubeó un instante, bajó los ojos, se metió las manos en los bolsillos del pantalón y al fin lo dijo.

—Así que es eso...

—¿Que es qué?

—A la señorita estudiante no le parece lo bastante bueno un frutero.

—Yo no he dicho eso.

—No. No lo has dicho... Pero lo has dicho antes, muchas veces, con distintas palabras. Que si no tengo inquietudes, ni ambiciones, que si parece mentira que un obrero como yo no tenga conciencia, todo el día con el trabajo, y el fútbol, el baile, el dinero...

—Es que es verdad.

—Sí. Va a ser verdad. Va a ser verdad que no soy lo bastante bueno para ti. O que no te parezco lo bastante bueno. Como los señoritos de la facultad, o como tus camaradas de los cojones. Esos sí son buenos.

—No digas idioteces, Frutero.

—No me llames Frutero, Mari. No tú. Mejor... no me llames nada. No te preocupes, que no vas a volver a llamarme nada. Ni yo a ti. Ya no.

La Tía no contestó. Solo silencio y los pasos del Frutero alejándose, la puerta de la calle que se abría y se cerraba suave, solo el roce de la batiente pesada contra el marco y el gatillazo seco del cerrojo. Al poco, desde la calle, un petardeo de Vespa que ya nunca se incorporaría al catálogo de los sonidos familiares.

Pasé casi cinco días sin hablar con Joserra. Le veía, claro, en el patio, en clase, muchas veces mientras caminábamos hacia el colegio por las mañanas, aunque cuando distinguía su espalda le notaba apretar el paso y yo aminoraba la marcha. Una tarde me lo encontré junto al kiosco, cuando yo iba a por el *Informaciones* y él acompañaba a su madre, cargado con la bolsa de la compra.

Fueron tardes desoladas, sin norte, plagadas del piojo del aburrimiento. Ni siquiera tenía sentido merendar deprisa, porque lo que había después eran simplemente largas horas vacías. Jugaba con el Microbio con los indios de plástico, haciendo rodar canicas entre los cowboys desplegados ante el fuerte y los pieles rojas que a caballo o a pie lo asediaban. Pero no teníamos costumbre de jugar sin pelearnos, y aquello no duraba mucho. Agarraba entonces un *Mortadelo* y me tumbaba a leer en la cama. Contaba los minutos hasta que empezara el horario infantil en la tele, y apareciera María Luisa Seco con las cartas llenas de versitos y dibujos infantiles que leía con voz chillona. Y luego, vuelta al aburrimiento.

Cada vez que sonaba el teléfono en aquellas tardes me daba un vuelco el corazón, y me arrimaba enseguida, sin atreverme a descolgar. Si el Padre o la Tía permitían que se alargara más de tres timbrazos, les recordaba con un grito:

—¡Teléfono!

Me quedaba entonces remoloneando junto al aparato, solo para abandonar derrotado el campo al comprobar que se trataba de una llamada de trabajo, o de una de esas entrecortadas de monosílabos que atendía Mari. Aunque una de las veces, inesperadamente, la Tía contestó con el «Buenas tardes, dígame» de rigor y a continuación me pasó el auricular con una sonrisa.

—Es para ti.

Casi le luxo la muñeca al arrebatarle el teléfono de las manos.

—¿Sí? ¿Joserra?

Pero era el abuelo Antonio. Creo que nunca me había hecho menos ilusión hablar con él, así que le cedí pronto el turno al Microbio, que revoloteaba a mi alrededor, tirándome de la manga, tratando de hacerse con el teléfono y musitando me-tocas, déjame-a-mis y venga-manus. Esa vez no le costó mucho conseguirlo.

Fiel a lo anunciado, el Frutero no volvió a dar señales de vida. Ni se puso al teléfono cuando la Tía le llamó, ni devolvió sus llamadas, ni por supuesto asomó el siguiente viernes por la tarde para llevarla al cine, ni el sábado de punta en blanco para ir al baile, ni el domingo a la hora del vermú. Nunca más volvió para echar una partida de mus, aunque es verdad que se habían suspendido desde que detuvieron a la Madre. Yo aún me lo crucé en ocasiones por el barrio, y siempre me revolvía el pelo y me pedía un abrazo. Todavía hoy lo hace, las raras veces en que nos cruzamos. Pero sé que en esos días hacía esfuerzos para evitar los encuentros, ya nunca aparecía por el Mojácar y, aunque le pillaba de camino para salir del barrio, jamás volvió a pasar con la Vespa y su rastro de petardeos por nuestra calle.

Nunca supe si a la Tía le importó mucho o poco: no la vi llorar, desde luego, ni insistió en sus mensajes. Creo recordar que le devolvió sus cartas, porque unos días después apareció alguien con un paquete de parte del Frutero, cuyo contenido fue echando la Tía a las llamas de la estufa, mientras leía aquí y allá partes sueltas con aspecto embobado. Eso lo recuerdo porque no era habitual encender la pesada estufa de hierro en abril, y porque aquella vez no nos avisó al Microbio y a mí para meter las astillas, el papel hecho un burruño y el poco de carbón que precisaba la operación. Cuando terminó, cerró la portezuela de hierro con cuidado, recogió un poco la cocina y se sentó de nuevo a estudiar.

Con Joserra las cosas fueron más fáciles. A la semana siguiente de nuestra discusión, le vi acercarse desde atrás mientras caminábamos hacia el colegio. Él apretó el paso, y yo lo aminoré, hasta que estuvimos a la altura.

—Hola, Manu.

—Hola.

—¿Viste ayer *El Virginiano*?

—Jo, sí. Estuvo genial... cuando... —me detuve—. Aunque en la caca de General Electric de mi casa lo mismo no se vio tan bien.

—No. La que es una caca es la Telefunken.

Era un paso. Me tocaba ahora a mí.

—Bueno, pongamos que son las dos igual de cacas.

Joserra aceptó el arreglo con una sonrisa, y empezamos a hablar de la galopada que se pegó el Virginiano, de las muescas que llevaba el malo en las cachas del Colt y de la caída espectacular de Trampas en un pilón. No sé en qué momento ocurrió, pero cuando llegamos al colegio íbamos agarrados del hombro, charloteando, saldando atrasos. Entonces le pegué un empujón que deshizo el abrazo, y eché a correr, gritando:

—¡Maricón el último!

Y Joserra salió pisándome los talones, riendo y gritando.

—¡Te voy a matar, Manu! ¡Tramposo!

CARIÑO MÍO:

Te escribo corto, porque vamos a «comunicar» muy pronto, este domingo si nada se tuerce. ¿Ves? Luego se ríen algunos malvados de eso de que España es la reserva espiritual de Occidente, los mismos resentidos que le regatean a Franco el mérito, indudable y no menor, de contribuir a paliar el gran mal de las sociedades modernas: la incomunicación. Nosotros, en cambio, comunicamos todo lo que podemos, lo que nos dejan, vamos, que yo si por mí fuera comunicaría contigo todos los días..., aunque siempre que intento llamarte estás comunicando.

¿Te estás riendo? ¿Por qué? Bueno, la risa no puede hacer mal a nadie, y ya sabes que es el específico que me recetó el doctor Driftwood (Otis B.) para casi todos mis males, incluyendo las alegrías primaverales. ¿O eran alergias? Como quiera que sea, tú estate tranquila con los niños, que la Mari los trae tiesos como un palo y desfilando a la voz de mando. ¡Qué gran madre va a ser tu hermana cuando le llegue el turno! Bueno, qué gran madre o qué gran sargento de semana. O si no que se lo pregunten al bueno del Frutero. Pero de sus descalabros prefiero que te hable ella, que tiene su versión original (subtitulada para tontos, como yo, que creo que ha hecho una gran tontería).

Las cosas en el trabajo marchan viento en popa. Hemos captado la cuenta de la Pepsi, y eso va a significar un montón de pasta para Monsieur Auger et *moi même,* si consigo inventar un eslogan que mande a freír espárragos a la chispa de la vida. Ya sabes: desbancar a la Coca-Cola en la patria de María y de Frascuelo sería la modesta contribución de quien suscribe al derrumbe de las estructuras vigentes. En el banco me siguen mirando raro, pero ya me voy acostumbrando; de hecho, si las cosas van bien en la agencia estoy pensando dejarlo, aunque de momento nos vienen de perlas los dos sueldos. Pero como muy prontito vamos a poder contar con los modestos ingresos procedentes de la parte no apropiada en concepto de plusvalía por esos editores para los que trabajas, seguramente será el momento de dar el gran salto (hacia delante).

Poco más te cuento, que si no me quedaré sin cosas que comunicar.

Solo que tienes que estar orgullosa de tus hijos y también, modestia aparte, de tu maridito.

Un fortísimo abrazo,

MANOLO

NO ESTÁ CLARO DE QUIÉN FUE LA IDEA, AUNQUE SÍ QUE AL ÚNICO que le pareció mal fue al Microbio.

—No pienso aprender a tocar la guitarra.

Eso lo dijo mientras el Padre negociaba con el dependiente de una tienda de música en los laberínticos aledaños de la Plaza Mayor, repleta de instrumentos de cuerda: guitarras españolas de cajas relucientes, alguna acústica acomodada en un soporte, violines en estuches forrados de terciopelo, una solitaria eléctrica colgando de una pared, claramente fuera de sitio, fundas de cuadros escoceses o blandos escáis, partituras apiladas en los estantes. Salimos del negocio con los instrumentos enfundados, encantado de la vida yo, que soñaba con aprender los acordes de *Yesterday* esa misma tarde, y mohíno el Microbio, que se veía —una vez más— embarcado en actividades que nada le interesaban a causa de la política familiar del café para todos. Cargamos las guitarras en el maletero del cuatrolatas, con demasiada brusquedad Jonás. Al menos eso le debió de parecer al Padre.

—A ver si vamos a tener un disgusto, chaval.

Las clases empezaron al jueves siguiente, una hora al día, dos días por semana, en casa de Jaime el Seta. La profesora, una veinteañera de melena lacia, expresión indolente y dicción de niña pera, abrigaba la pasión justa por la enseñanza. Tan justa que apenas le quedaban excedentes para transmitir a sus pupilos. Y menos que a nadie al Microbio, que desde el primer día se decantó por la resistencia pasiva. El Seta y yo, en cambio, ardíamos en deseos de aprender los secretos del instrumento para emular a nuestros héroes musicales del momento: los cuatro de Liverpool, esos Beatles cuyo nombre se traducía entonces a menudo —nada que ver— como Los Escarabajos. No sabíamos demasiado inglés, pero nuestro diccionario no dejaba lugar a dudas: escarabajo era *beetle*. Nuestra profesora particular, Sonia, cayó en el mismo error, lo que no contribuyó a mejorar la impresión que íbamos teniendo de ella, que se deterioraba por momentos. Ni siquiera olía bien.

El entusiasmo de Sonia experimentó un desgaste paralelo a su prestigio. Vertiginoso. En principio le pareció de perlas que tuviéramos nociones de solfeo, adquiridas de mala manera en las clases escolares de música. A nosotros, en cambio, se nos antojaba penosísimo el camino de pulsar notas sueltas apresando cuerdas contra el traste y pellizcando las cuerdas. Queríamos aprender acordes, los justos para empezar a tocar canciones en un par de sesiones. Pero no hubo modo.

Entre la multitud de juguetes caros y material para los deportes más exóticos, Jaime el Seta poseía un raro tesoro: nada menos que un tocadiscos, instalado además en su cuarto. Quiero decir en su propio cuarto, no en el salón como en las demás casas. No se trataba tampoco de un vulgar comediscos como los que regalaba María Luisa Seco en la tele, aptos solo para microsurcos de 45 revoluciones y que, haciendo honor a su nombre, los masticaban y devoraban con saña hasta dejarlos inaudibles de puro rayados. No, el del Seta era un auténtico *pick-up,* un Philips con la caja de madera, que se desmontaba dejando el plato al aire y las dos piezas de la tapa convertidas en altavoces. Los elepés desbordaban la caja, así que había que tener cuidado con no darles un tantarantán en la emoción de la escucha, pero la música sonaba de maravilla. Sobre todo si era la de Paul, John, George y Ringo. Ringo Starr, por supuesto.

Antes de que a alguien se le ocurriera que estábamos en edad de aprender a tocar la guitarra —y juraría que la idea fue del Seta, aunque a nosotros nos lo comunicó el Padre— llevábamos un par de meses escuchando con fruición a los Beatles. Como en tantas otras cosas, fue Jaime quien abrió el camino. Xavi, su padre, era forofo declarado de los de Liverpool, y tanto el *pick-up* como los primeros discos salieron de su casa. Pensándolo bien, debería existir algo así como una frontera que separa los días en los que uno escucha la música que gusta a los mayores —Serrat con la tía Mari, Raphael en la radio más tarde con Reme, las óperas a cuyo coro se sumaba el Padre los domingos por la mañana— y los tiempos en que se empieza a elegir la propia banda sonora. Sin embargo, nuestras sesiones de tocadiscos no eran incompatibles con juegos o actividades más infantiles. Seguíamos montando vehículos estrafalarios con el mecano, ciudades imposibles y aeronaves de formas cuadradas con los ladrillos del Lego, trasteando con la química recreativa o enredándonos en formidables carreras de Scalextric. Pero eso sí, cuando decidíamos poner un LP de los Beatles, cesaba cualquier actividad: el Seta lo sacaba con delicadeza de la carpeta, retiraba la funda de celofán que protegía el vinilo y lo depositaba con suavidad sobre la goma amortiguadora del plato; después elegíamos una canción, el Seta dejaba caer con precisión el brazo del equipo sobre el surco correspondiente y nos recostábamos en la cama o en el suelo, compartiendo la carpetilla con las letras, mientras arrancaba el crepitar metálico de la aguja.

Todo este ritual repugnaba profundamente a Jonás, que trató de boicotearlo desde el primer momento. Pero el Seta le mandó callar sin muchas contemplaciones, amenazando incluso con expulsarle del cuarto. Aunque no le hacía maldita la gracia vernos atontolinados con aquellas canciones que no entendía nadie, el Microbio descubrió que era mejor callar, consentir, echar mano a alguno de los tebeos de la fabulosa colección del Seta y aguardar a que recobrásemos la sensatez y el gusto por el juego. Lo que acababa ocurriendo, antes o después.

Ponerse enfermo no era lo peor que le podía pasar a uno, siempre que la cosa fuera una simple gripe, o un catarro feroz, y que no coincidiese con época de vacaciones ni fin de semana. Pero si tenías la suerte de levantarte un martes con treinta y nueve de fiebre, tenías por delante dos o tres días de descanso y mimos. Sin clases, sin deberes, sin restricciones para ver la tele. Un chollo, vamos, aunque no lo pareciera a primera vista.

Pero las cosas habían cambiado. Desde luego, el Padre se mostró inquieto cuando la lectura del termómetro mostró que iba a tener que quedarme en casa. El Microbio, como hubiera hecho yo en su pellejo, se largó a clase rezongando envidioso, con la amenaza de traerme por la tarde los deberes que hubieran mandado a mis compañeros. El Padre le dio la nota para la directora, y a continuación miró el reloj. Tenía que irse al trabajo, aún era temprano para llamar a Ortiz —nuestro médico de cabecera—, y no había mucho que pudiera hacer de momento en la casa. Así que le calentó la cabeza a la tía Mari con instrucciones detalladas, se sentó un ratito a la cabecera de mi cama y me explicó cómo lo íbamos a hacer. Él llamaría al médico desde la oficina, volvería a telefonear a casa en el curso de la mañana y, si le era posible, se acercaría cuando llegase Ortiz. Pero vamos, estaba claro por mi cara de buena salud que la cosa no era mortal de necesidad.

Yo no estaba en absoluto de acuerdo: me sentía fatal, acalorado, con la boca pastosa, ningún apetito, flojera y dolor de garganta. Para acabar de arreglarlo, fuera lucía un sol radiante y en la cartera tenía un yoyó comprado la tarde anterior que urgía estrenar en el patio del recreo. Así que me arrebujé bajo las mantas, confiando en que en un par de horas la fiebre bajase y el día de convalecencia se encarrilase como era debido.

Si la idea de aprender guitarra vino del Seta, Maite la secundó con entusiasmo y el Padre se subió al carro como si de verdad le pareciese bien. En realidad, Maite secundaba con entusiasmo todas las ideas de su hijo; mejor dicho, todas las ideas de casi cualquiera. A decir verdad, Maite parecía secundarlo todo con entusiasmo; no es que tuviera muchas iniciativas, pero lo de secundar las ajenas se le daba de fábula. Y, en materia de iniciativas, el Seta tenía más que de sobra.

Cuando acabábamos las clases, el Padre subía a buscarnos. No es que hiciera ninguna falta —vivíamos dos pisos más abajo—, pero así lo hacía. A veces llegaba antes de que acabáramos con Sonia, y entonces Maite sacaba unas aceitunas rellenas y unos botellines y se dedicaban a parlotear mientras daba la hora. Imagino que escucharían los punteos desmañados, las protestas de Jonás y la voz de rata constipada de Sonia que venían del cuarto donde dábamos las clases —una mezcla de trastero y cuarto de juegos, presidido por un enorme mapa físico de Suramérica, con sus Andes coronados de blanco, su Amazonas como una gigantesca serpiente azul que hendía las masas selváticas coloreadas en verde y una afiligranada rosa de los vientos en el cuadrante inferior, sobre los hielos del Antártico—. Allí, alrededor de una mesa camilla de faldas de pana, tratábamos de desentrañar los secretos del instrumento —bueno, Jonás solo trataba de que el tiempo acelerara el paso—, pese a la obstinada y sorda oposición de Sonia.

—A ver, Jaime: eso era un do...

—¿Y qué he tocado?

—Un la.

—¡Joder!

—Huy... Esa boquita está pidiendo un jaboncito...

—¿Cuándo nos vas a enseñar una de los Beatles?

—Ay, nenes, mira que sois pesados...

Afuera, Maite y el Padre se reían —eso también lo oíamos desde el cuarto—. Al acabar la clase solíamos enfundar las guitarras y pasábamos por el salón para saludar. Sonia asomaba para despedirse, y los niños nos íbamos al cuarto de Jaime a jugar o a escuchar algún disco. Los mayores, en cambio, seguían con sus charlas y sus risas hasta la hora de cenar. O más tarde. Cuando los botellines dejaban paso a los cubalibres de Gordon's ya sabíamos que nos iba a tocar cenar solos con Mari.

Ortiz entró en la casa derramando aromas de colonia espesa por todos los poros de su abultada humanidad. Vestido siempre con camisas blancas a punto de estallar, nuestro médico era un hombre afable, de dedos gruesos poblados de vellos que te introducía en la boca antes de pedir una cuchara que hiciera de depresor lingual. Los mismos dedos gordos con los que te palpaba el vientre, las ingles y tamborileaba sobre el pecho para oír las resonancias de la caja torácica. Lo peor era cuando sacaba el fonendo del maletín de cuero y te lo posaba, todo frío metálico, en la espalda primero y después en el pecho. Los pulmones debían de sonar en orden aquella vez, porque recomendó reposo, líquidos abundantes y aspirina si subía la fiebre.

—¿Y vitamina C? —pregunté.

—Hecho. Una pastilla de Redoxón efervescente al día, que nunca está de más. Ah, y a prepararse para ir de compras, que de esta seguro que pega estirón.

De haber estado la Madre, Ortiz se habría quedado a tomar un café con una tostada de aceite, que chorreaba entre los dedos velludos; habrían pegado la hebra un rato —niños, amigos comunes, política—, hasta que el doctor hubiera echado una ojeada como despistado al enorme reloj de pulsera de correa metálica y hubiera soltado una expresión gruesa que subrayaba lo tarde que se le había hecho, para salir luego a la carrera, después de arrearle un tremendo achuchón a la Madre con aquellos brazos de oso. Pero como no estaba, Ortiz se despidió cortésmente de la tía Mari, me estrujó con fuerza los mofletes y salió zumbando camino del siguiente aviso. En cosas como estas era en las que se notaba un montón la ausencia de la Madre. Tuve que explicar a la Tía cómo se trasladaba el televisor. Ese era uno de los privilegios de los convalecientes: poder mirar la tele desde la cama. Los otros dos eran los grandes jarros de agua tibia de limón, bien azucarada, y una provisión extra de tebeos comprados para la ocasión. Es verdad que quedaban un montón de horas antes de que empezara la programación, pero los preparativos requerían cierto tiempo. El aparato de televisión —un General Electric con su preceptivo estabilizador de corriente debajo— quedaba colocado en una especie de banco de madera con ruedas, así que bastaba sacarlo del salón empujando con suavidad. Pesaba lo suyo, y sobre todo el temor a un golpe o una caída que pudieran escoñar el receptor aconsejaba extremar la prudencia —y seguir extremándola mientras recorría el pasillo hasta nuestro cuarto, casi al lado de la cama—. No se había inventado aún el mando a distancia; claro, que tampoco habría tenido la menor utilidad: con solo dos cadenas, y la segunda que empezaba a emitir bien entrada la tarde, no había necesidad de inventarlo. Lo más complicado era lo del cable de la antena: buscar la extensión que se guardaba en algún cajón y tenderlo con cuidado a lo largo del recorrido, procurando que no quedara expuesto a golpes ni tirones. Esta operación requirió llamar al Padre, aprovechando de paso para contarle el diagnóstico de Ortiz. No recordaba exactamente dónde buscar; pero al final apareció la extensión, y un par de horas antes de que empezara la carta de ajuste ya estaba todo preparado.

Ahora quedaba explicarle a Mari cómo se hacía el agua de limón —¿y cómo iba yo a saberlo?— y hacer la lista completa de los tebeos que debía comprar en el kiosco.

Las lecciones con Sonia iban de mal en peor. Ni nosotros progresábamos en el punteo, y menos con aquel pesadísimo *Romance anónimo*, ni Jonás estaba dispuesto siquiera a agarrar la guitarra, ni nuestra profesora parecía capaz de hacerse mínimamente con las riendas de la clase. Aunque a veces lo intentaba. Al menos eso pareció el día que llegó a clase con una revista con una partitura nueva, y esta vez en acordes.

—Vale, chicos, he estado buscando, y ya he encontrado una canción que os va a encantar.

—¿Sí? ¿Cuál? ¿Es de los Beatles? —nos atropellábamos el Seta y yo.

—Pues claro que sí. ¿Qué os habíais pensado, nenes? ¿Que vuestra profe era una antigua? Mirad, aquí está...

—¿Cuál es? —pregunté mientras el Seta secuestraba el papel y lo examinaba de punta a cabo y Sonia exhibía la más radiante de las sonrisas que le vi jamás.

—Es *Help!* ¿A que os encanta?

El desprecio infinito, el hastío, la ira, la burla..., todo ello se precipitó de golpe sobre la faz del Seta, compitiendo por abrirse paso en su expresión. A esa edad uno aún es dueño solo a medias de su rostro, incapaz de hacerle decir lo que desea. Pero la sucesión de muecas en el rostro de Jaime quedó aclarada por el ademán displicente con el que arrojó la revista sobre la mesa.

—No es el *Help!* de los Beatles.

—Sí que lo es, nene —replicó tan firme como pudo la profesora.

—No. No lo es... Y tú... tú... tú no tienes ni... puñetera idea.

—Sí que lo es. Está traducido, pero es el de los Beatles. Y lo vamos a aprender a tocar os guste o no.

El Seta a punto de decir una barbaridad, Sonia en un tris de echarse a llorar, yo dividido entre mi apego a la autoridad y la necesidad de respaldar a mi amigo... y Jonás pintando aviones en un papel cuadriculado, como solía, ajeno a todo. Aunque imagino que algo debió de sacarle de su ensimismamiento. Alzó la vista del papel, contempló los rostros tensos.

—Yo no pienso aprender a tocar nada. Que conste.

Reímos todos: Jaime, de puro nervio; Sonia, aliviada; el Microbio, contento de haber hecho la gracia, y yo simplemente porque se reían los demás. Hasta nos llegaron de fuera las carcajadas del Padre y Maite, aunque esas celebrarían otras gracias. El caso es que la risa había atajado la tensión que se había acumulado instantes antes, y me pareció el momento de decir algo conciliador.

—Bueno, Jaime, lo mismo es la de los Beatles pero la han traducido mal...

Jonás llegó del cole al filo de las cuatro, y pasó rápidamente a ver si seguía con vida. Me encontró arrebujado bajo las mantas pero despierto y alerta. La televisión emitía una «novela» que no me interesaba gran cosa, aunque la mera novedad de tener el aparato en el cuarto invitaba a mirarlo. El Microbio se acomodó a los pies de la cama, huroneando entre los tebeos nuevos que reposaban sobre la colcha.

—Ha dicho Joserra que te pongas bueno. Que luego llamará para ver si puede venir a verte.

—Gracias.

—Y te traigo los deberes de Mates y de Sociales. Que ha dicho Julio Vicente que si no los haces, te la cargas.

—Vale.

Debió de pensar que así no tenía gracia.

—No, era broma. Que ha dicho que si no puedes hacerlos no pasa nada. ¿Qué has visto en la tele?

—Nada. La novela. Y el telediario.

—¿Tienes fiebre?

—No. Solo décimas. ¿Me alcanzas el agua de limón?

—¿Puedo tomar un poco?

—No, Microbio. Es para mí. Te recuerdo que soy yo el que está pachucho.

—Pues puedes cantar *Help!* El de los Beatles —sonrió malicioso.

Me encontraba regular, no febril, pero sí aturdido y flojo. Aun así, tuve los reflejos para agarrar una de las dos almohadas sobre las que me sostenía erguido y zumbarle al Microbio en toda la cabeza. Como no se lo esperaba, y acababa de agarrar la jarra para servirme un vaso, el almohadazo le dio de lleno, y el líquido saltó por los aires, dejándonos a los dos empapados y muertos de la risa.

Las clases de guitarra no duraron mucho más. Al acabar la de marras, el Seta corrió al cuarto a por su disco de *Help!* (cómo había podido olvidarlo, la canción que daba nombre al elepé, con los cuatro Beatles haciendo señales con los brazos en la portada). Desde luego, lo que firmaban Lennon y McCartney no tenía mucho que ver con aquello que nos enseñó Sonia, una canción que aún había de sonar un par de años más en los coches de choque de las ferias de San Juan.

Help, ayúdame,
en tu amistad he puesto toda mi fe,
(...)
y tiéndeme la mano
de un hermano.
Help, ayúdame.

Jaime tenía toda la razón, pero yo me resistía a quedar como un traidor. Es verdad que había tendido un cable a Sonia, pero al fin y al cabo era nuestra profe, y si la pobre no daba más de sí... Para Jaime la cosa era más sencilla: le había dejado en la estacada, y además sabía tan poco de los Beatles como la boba de Sonia.

—Por lo que a mí respecta, tan ignorante es ella como tú.

—Te creerás que por saberte todas esas canciones eres más que los demás.

—Al menos no soy un pipiolo ignorante que no se entera de nada.

—O lo mismo eres un listillo bocazas que no sabe de la misa la mitad.

—Pero no seré yo quien se haga pis en la cama.

—Ni yo un niñato mimado al que compran más juguetes de los que puede llegar a usar.

—Bien que te gusta jugar con mis juguetes. Y escuchar mis discos.

—Lo que es por mí, te puedes meter tus juguetes...

—¿Y mis discos?

—¡Y tus discos!

Realmente estábamos enfadados. Jaime apartó la guitarra de un manotazo y colocó el disco sobre el plato. No le fue difícil acertar: era el primer corte, así que nada más dejar caer la aguja sonaron los gritos del cuarteto y después la voz de John Lennon.

Help! I need somebody.
Help! Not just anybody.
You know I need someone.
Help!
When I was younger, so much younger than today...

—¿Sabes? —remachó—. No hay peor ciego que el que no se entera de nada.

—¿A qué viene eso, Seta?

—Bah, déjalo.

—No, chaval, ya lo has soltado, ahora tienes que decirlo.

Me miró largo y tendido. Ahora sé que no era solo que quisiera hacerme daño, pero entonces creí que simplemente se había dejado llevar por la mala leche, las ganas de quedar por encima, el orgullo, supongo.

—¿Tú de qué crees que se ríen tanto tu padre y mi madre?

—Y yo qué sé, Seta. De cosas de mayores, ¿no?

—El otro día iba a entrar en el salón... y se estaban besando.

—¿Y?

—En la boca.

No se me ocurrió nada que decir. Nada. Cero. Me quedé noqueado. Pero él siguió golpeando.

—¿Y por qué será que tu padre sube últimamente casi todas las tardes a charlar con mi madre? Y se queda a cenar. ¿O en eso tampoco te has fijado?

—¡Estás pirado, Seta!

Nada de esto llegó a oídos del Microbio. Seguía convencido de que Jaime y yo nos habíamos peleado por aquella mierda de canción, aunque fue él quien avisó a Maite y al Padre de que nos estábamos zumbando a modo. De hecho le estaba zurrando yo, que para algo el Seta era más pequeño: le tenía contra el suelo, haciendo presa con las rodillas sobre los brazos, y le daba bofetadas cada vez que se atrevía a reírse o llamarme imbécil ignorante. El Padre me agarró por los sobacos y me sacó de la habitación a rastras. Me cayó un buen castigo de aquella. Llevaba dos semanas sin ver la tele antes de que me subieran las décimas de buena mañana y me quedara en cama.

La convalecencia duró aún un par de días. Al tercero ya estaba deseando levantarme, y me permitieron hacerlo siempre que me abrigara bien, lo que venía a significar ponerse un jersey de lana sobre el pijama y el batín de felpa por encima. No era el atuendo más cómodo para jugar, pero cualquier cosa con tal de no seguir entre las sábanas. La tele salió otra vez camino del salón —aún volvería ocasionalmente para alguna peli de sábado— y las cosas regresaron, más o menos, a la normalidad.

Menos las clases de música. A Sonia le pagaron un mes extra y el Seta se dedicó a aprender por su cuenta con unas revistas que le compraba su padre, y acabó no haciéndolo mal del todo. Nuestras flamantes guitarras subieron al altillo de un armario, y aún habrían de deambular por las varias casas a las que nos mudamos en años venideros. Ni Jonás ni yo volvimos a darles una oportunidad.

PERRY NOS HABÍA SEGUIDO DESDE EL DESCAMPADO. EL MICROBIO
le había ofrecido una ración de caricias en la barriga y un
trozo de bocadillo de salchichón, suficiente para que aquel
despeluchado chucho de mil leches, de mirada achantada
y un rabo de pasmosa movilidad le jurara a mi hermano
lealtad eterna. Nos acompañó hasta la frontera del barrio,
bordeando los viveros, por la calle cortada, y finalmente
cruzó la arteria principal con precaución pero sin dudar un
instante, guiado por la esperanza de poner fin a sus días
de callejeo. Aún titubeó un momento antes de colarse en
el portal. Pero bastó que Jonás pronunciara por vez primera su nombre:

—Venga, *Perry,* a casa.

Comenzó a agitar el rabo, se le irguieron las orejas y se
coló como una exhalación a manchas marrones tras la este-
la de su nuevo amo.

—¿De dónde ha salido este chucho? —fueron las palabras de la tía Mari cuando se lo encontró jadeante, con la
lengua fuera y una conmovedora súplica asomando entre
las greñas que le tapaban los ojos.

—No es un chucho. Se llama *Perry* y es mi amigo. Nos
ha escoltado desde el colegio —en ocasiones mi hermano

sacaba a pasear un vocabulario sorprendentemente preciso, amén de cierta creatividad para rebozar los hechos—. ¿Nos lo podemos quedar?

—Ni en sueños, enano.

—Te lo dije —terció el pesimista que aún habita en mí.

—Tía, porfi —y la mirada del Microbio remedó a la perfección la que instantes antes esbozara el animal—. Es taaaaan mono.

—Ni hablar.

Un par de minutos después *Perry* estaba en la cocina recibiendo carantoñas y a punto de devorar un plato de sobras. Mari había consentido al menos en alimentarle, y había suspendido la ejecución de la sentencia hasta el regreso del Padre. Mucho más, desde luego, de lo que yo había considerado factible de entrada. Otra prueba de la archisabida dificultad de las mujeres de la familia —la Madre incluida— para negarle un capricho al pequeñajo.

Desde que detuvieron a su hija, el abuelo Antonio había tratado de tomar cartas en el asunto, pese a las reticencias de los Padres.

—Conozco gente. Gente que me debe favores.

—Ya sé que conoces gente, y qué clase de gente. Y te lo agradecemos. Pero tu hija ha dicho que no piensa escurrir el bulto. Que no se te ocurra tocar a nadie.

—Mi hija es mema. De lo contrario, no estaría donde está. Pero a ti te hacía más sensato, Manuel.

—Lo siento, Antonio. Dejó muy claro que no quería que movieras ningún hilo.

Había sido el Abuelo quien sugirió que la tía Mari dejase el colegio mayor y se trasladase a vivir a casa. También, lo supe luego, empezó a enviar dinero para los gastos a través de su hija menor. Llamaba más a menudo, vino a recogernos para que pasáramos en Galicia la Semana Santa y fue el primero en enviar a la Madre a Yeserías un paquete con provisiones, trebejos de escribir y alguna ropa de abrigo.

Aquellas vacaciones conocimos la finca en un tiempo de fríos y aguaceros, tan distinto del que iluminaba los veranos de playa y juegos en la huerta. Pasamos casi todo el rato metidos en casa, al amor del brasero que humeaba bajo las faldas de la mesa camilla, jugando a la brisca con el abuelo Antonio, o al parchís los cuatro, oyendo la vieja radio con el dial iluminado crepitar mientras buscábamos la Intercontinental —aunque con buen cuidado de regresar a Radio Nacional para la hora del noticiario, el parte, como lo llamaba el Abuelo—. De esa semana recuerdo las primeras torrijas de mi vida, empapadas en leche y canela, bien fritas, más sabrosas aún a la mañana siguiente. También la procesión de Viernes Santo, precedida por una escuadra de marineros ataviados de gala, destocados y tiesos como los cirios de los nazarenos que seguían los cuatro pasos del Cristo y la virgen del Carmen. Un escalofrío me recorrió el espinazo al paso de las antorchas, que acuchillaban la oscuridad de la noche en la Calle Real. Me abracé a la Abuela, que me arropó bajo su abrigo. El abuelo Antonio, solemne, anunció:

—Mañana resucitará Dios.

—¿Es que estaba muerto, Abuelo? —preguntó el Microbio.

El Abuelo miró a su mujer, que se encogió de hombros con resignación.

—¿No os lo han explicado en clase de Religión?

—Nosotros no vamos a clase de Religión, Abuelo. Estamos exentos —expliqué.

—¡Pues sí que estamos buenos! —bufó.

—Antonio... —suplicó la Abuela.

Los nazarenos siguieron desfilando, ocultos bajo los capirotes puntiagudos, con paso solemne, entre el estruendo de tambores y el restallar metálico de las botas de la tropa sobre el empedrado. Al Microbio se le iban los ojos tras el brillo de las bayonetas relucientes, caladas en las bocas de los cetmes.

—Abuelo —preguntó—, ¿por qué se llevan a Dios detenido?

Perry durmió aquella noche acurrucado a los pies de la cama nido. Jonás amaneció de un salto, buscando al animal con ansia, hasta que se encontraron los ojos agradecidos del chucho con la mirada tierna de su nuevo amo. Se abrazaron emocionados, enredados de manos y patas, acariciando el niño las lanas y el perro dispensándole lengüetazos cálidos y rasposos.

—*¡Perry!*

—¡Guau!

El Padre había regresado tarde la noche anterior, y la Tía le había disuadido de arrojar al chucho a la calle en plena noche. Los ladridos le despertaron a una hora más temprana de la acostumbrada, y asomó por nuestra habitación, camino del cuarto de baño.

—Luego hablamos, niños.

Malas noticias para *Perry*, seguro; el rostro del Padre no dejaba lugar a dudas. Esa misma mañana nos acompañó la tía Mari camino del colegio. Debíamos dejarle más o menos donde lo habíamos encontrado: «Tal vez tiene ya un dueño que lo está buscando, Jonás», mintió. Pero el Microbio se las apañó para enmarañar el lugar preciso del hallazgo, de modo que nos acompañó todo el trayecto, por el callejón, frente al vivero, y finalmente cruzando la avenida antes de acometer la recta que llevaba al Nuevo Paidós. Se despidieron ante la verja, con abrazos apasionados, lametones cálidos y miradas perrunas concebidas para conmover a la Tía. No hubo modo. Aquella tarde, el Microbio entró en casa tras las clases aferrado a la esperanza —vana, daba yo por seguro— de que el Padre hubiera cambiado de opinión. Tras escudriñar todos los rincones de la casa, al fin renunció a encontrarlo. Sin merendar siquiera, se encerró en el baño y estuvo llorando un buen rato.

La negociación comenzó cuando el Padre volvió del trabajo.

—Terminad los deberes y hablamos.

No podíamos quedarnos a *Perry,* pero tal vez podríamos tener otra mascota: «¿Un perro, aunque sea más pequeño?», propuso Jonás. A la Madre no le gustaban, y además ya nos había explicado por qué no podíamos tener perro. «¿Hámsters?», sugerí. «Ni hablar. Son primos de las ratas, transmiten toda clase de enfermedades y huelen que apestan». Joserra tenía un hámster color beige, que no apestaba y se pasaba el día dando vueltas en una rueda de plástico metida en la jaula. «¿Quieres tener un animal tan lerdo que no hace otra cosa que correr para no llegar a ninguna parte? Ni en broma. Hámsters, conejillos de Indias, ratones blancos de cola rosa, nutrias, mofetas y osos hormigueros descartados. A ver, ¿qué os parecería un ave?».

—¡Genial! ¡Un loro! —terció Jonás—. ¡Podemos enseñarle a hablar!

—En realidad, estaba pensando en algo más pequeño.

—¿Más pequeño? ¿Cómo de más pequeño?

Aquel domingo fuimos todos juntos al Rastro. En una de las callejuelas que desembocaban en la Ribera de Curtidores se apilaban jaulas, acuarios, barreños rebosantes de galápagos en distintas gamas de verdes y amarillos, y enormes tortugas pardas de andares perezosos. Canarios de plumón pálido y voz aguda, perdices de pecho jaspeado junto al rojo intenso de las codornices, crías de pato, cotorras con y sin cresta, córvidos de pico naranja asomando entre la negrura del plumaje, viejas guacamayas de azules irisados, palomas de garras emplumadas... Y petirrojos. En medio de aquella macedonia de plumajes de colores primarios, entre la algarabía de graznidos, zureos, silbos, trinos y ululares, el minúsculo petirrojo pasaba casi inadvertido. Pero fue lo que nos llevamos a casa, con su pecho encarnado, su pico amarillo y un canto alegre pero del todo impropio de un actor secundario en la gran superproducción del mundo aviar.

Con *Peti* —así lo bautizó Jonás, con más resignación que verdadero cariño— compramos una jaula mediana, un paralelogramo de barrotes blancos sin más florituras que un pequeño bebedero de plástico y un trapecio de palo colgando en medio. El paquete de alpiste venía de regalo.

El abuelo Antonio insistió en acompañarnos de regreso a Madrid, tras la Semana Santa. Imagino que barruntaba cosas, y le preocupaba qué pudiera estar haciendo la tía Mari. Sospechaba, con razón, que la pequeña andaba en las mismas actividades que habían llevado a su hermana a la cárcel. Aunque lo que le preocupaba sobre todo era otra cosa.

Cuando llegamos a casa, apenas nos hizo caso y pasó a encerrarse con el Padre y una botella de coñac en el despacho. Ambos entraron con caras largas, casi fúnebres, y la botella aún con el precinto. Salieron de allí un par de horas más tarde, aún serios pero afables; el coñac, sin embargo, apenas si cubría un dedo sobre el culo de la botella.

Esa tarde el Padre y el abuelo Antonio fraguaron el pacto que nos conduciría unos meses después a Jonás y a mí, perfecta e inesperadamente engalanados como almirantes de la armada celestial, ante el altar de la ermita de San Julián para celebrar nuestra primera comunión.

Pero aquella noche cenamos todos juntos, y el Padre nos dejó quedarnos con los mayores a ver *Misión: Imposible,* pese a que al día siguiente había colegio y la serie exhibía aquel infame par de rombos.

Peti no llegó a vernos en nuestros trajes de comulgantes. Y no solo porque la ceremonia se celebrara en Galicia, sino porque tampoco sobrevivió lo suficiente. Acomodado en la jaula colocada sobre una de las baldas de nuestra habitación, el petirrojo demostró pronto no estar a la altura de las expectativas despertadas. No solo no hubo forma de hacerlo hablar, sino que tampoco se mostró muy aficionado a trinar; se limitaba a saltar de un lado a otro, meciéndose ocasionalmente en el minúsculo trapecio, y a descargar sobre el fondo de la jaula cagarrutas de un blanco intenso y un tufo más pestífero que el de una camada de hámsters. La mayor proeza que cometió fue escaparse una de las noches que tocaba limpiar la celda y merodear entusiasmado pegado al cielo raso de la cocina, saboreando por primera y única vez las mieles de la libertad. Hasta que Mari lo arrinconó y lo aferró entre sus dedos de pianista para devolverlo a su alojamiento.

Unos días después, mientras limpiaba de mala gana la jaula, se me olvidó sacar a *Peti* antes de abrir el chorro del grifo. El pájaro recibió un baño helado del que no llegó a recuperarse, pese a mis intentos de enmendar el daño secándolo cuidadosamente con un trapo de cocina. Languideció un par de noches, hasta que a la mañana siguiente amaneció tendido entre la mierda y las noticias ajadas del periódico que cubría el fondo de la jaula. Ni siquiera Jonás, con su inagotable ternura hacia cualquier bicho viviente, pareció lamentar demasiado la pérdida.

El Padre no estuvo precisamente convincente cuando le tocó explicarnos que íbamos a hacer la primera comunión.

—No me da la gana —le espetó el Microbio.

—A mí me da igual —dije yo, más que nada por llevarle la contraria.

—Bueno, la mayoría de vuestros amigos la han hecho ya, ¿es que no os apetece?

—El Seta no la ha hecho —terció Jonás—. Y dice que es una gilipollez.

—Vigila esa boquita, chaval.

Según parece, lo de estar exentos de religión no era impedimento grave, según lo que le había dicho al Abuelo el párroco. Bastaría con que fuéramos un par de tardes a hablar con él.

—¿Qué es un párroco? —preguntó Jonás.

El Padre suspiró, y volvió a empezar desde el principio, aunque ahora en tono más serio. Haríamos la comunión, en Galicia, cuando acabara el colegio; vendrían los primos y la tía Mari, y estarían los Abuelos, y tendríamos que hablar con el párroco (que era como una especie de cura) para explicarnos un par de cosas. Habría algunos regalos extras, y pocas gilipolleces, porque era lo que él y la Madre habían decidido. Y sanseacabó.

—Vale —concedió Jonás—, pero ya que has cambiado de opinión en cuanto a lo de Dios, ¿por qué no podemos tener un perro?

Debió de pillarle cansado, porque después de un tira y afloja acabó aceptando que nos quedáramos con los dos hámsters que me había ofrecido el Gordo Varela. A cambio tuve que cederle la armónica Hohner que me había regalado el Abuelo, de la que a decir verdad no conseguía extraer demasiadas armonías, mientras que él enseguida sacó la música de *El Virginiano* y una canción que a mí no me sonaba de nada pero que decía que era del Dúo Dinámico.

JAIME EL SETA TENÍA DOS CASAS. LO CUAL, EN SU CASO, ERA doble chollo. Estaba, por un lado, la casa de Xavi, en lo que en tiempos fue una ciudad-jardín de las afueras, un chalet de tres plantas con una especie de cúpula de observatorio en la azotea y un jardín con piscina. Luego estaba el piso donde vivía con Maite, su madre, que casualmente estaba dos alturas más arriba del nuestro. Cuando se separaron los padres del Seta, a Maite le pareció buena idea mudarse al barrio: quedaba cerca del colegio, estaban el Padre y la Madre y en general era un buen sitio para vivir. En el chalet de Xavi, el Seta pasaba un fin de semana de cada dos, buena parte del verano y temporadas sueltas. Lo sé porque a veces le acompañábamos el Microbio y yo, en los últimos compases del curso, cuando el calor apretaba y las tardes se volvían eternas.

En aquella piscina fue donde Xavi nos enseñó a zambullirnos de cabeza. Hasta entonces, el Microbio era el rey de los barrigazos, formidables caídas en plancha contra la superficie del agua que le dejaban el pecho y el vientre ardiendo, aunque jamás lo reconociera.

—Ni pizca de daño me he hecho.

Lo mío era el salto en bomba, algo menos doloroso pero igualmente carente de elegancia. Con infinita paciencia y ante la mirada de superioridad del Seta, Xavi nos enseñó a alzar las manos y a unirlas en forma de lanza, arrodillados al borde de la piscina, a doblar luego la espalda manteniendo la cara entre los brazos y a seguir inclinándonos hasta que el desplazamiento del centro de gravedad nos tirase al agua, hendiendo la superficie con suavidad, buscando la mínima resistencia. Dominada la técnica, tocaba practicarla ya de pie. Como tantos otros aprendizajes de la niñez —las pompas de jabón, los patines o el calco de monedas con un lápiz—, a este también puedo ponerle con absoluta precisión fecha y escenario.

La tía Mari carecía de eso que llaman facilidad para el estudio. Se notaba porque, como al Microbio, la suspendían a veces, solo que a ella le daba más rabia. También porque se pasaba las horas encerrada en su cuarto, martirizándose el pelo con un lápiz, a veces haciéndose un moño, otras simplemente enredando los cabellos morenos en trenzas y remolinos. Sobre la mesa, apuntes tomados por la mañana, tres bolis de tres colores distintos y gruesos tomacos que iban cambiando con los días: una *Historia* de García-Gallo, el *Derecho administrativo* de Enterría, las *Lecciones de Teoría Económica* de Castañeda. Supongo que estarán mezclados, pero de esos títulos, y de los dorados en los lomos y las marcas de boli con que los adornaba la Tía, me acuerdo bien.

A la Tía le estaba costando sacar la carrera. El Padre decía que en realidad era porque no le gustaba mucho, y que había elegido Derecho por razones torcidas. La Tía, en cambio, pensaba que le hubiera cundido mucho más de haber podido seguir en el colegio mayor en vez de tener que instalarse en casa para cuidarnos. Amalio, por su parte, no decía gran cosa, pero empezó a pasarse casi todas las tardes a echarle una mano con los libros; no es que él supiera gran cosa de las materias —había estudiado Políticas, creo recordar—, pero supongo que se sentía responsable. Entre otras cosas porque las mañanas de la facultad se le iban a la Tía en reuniones, asambleas y otras actividades del Partido. El mismo Partido que insistía en que los militantes tenían que ser estudiantes sin tacha, los mejores de la clase, como garantía de seriedad y también como ejemplo para las masas. Lo cual tenía su gracia, porque no sé cómo iban a enterarse las masas de que alguien —mi tía, sin ir más lejos— era un hacha en Penal. Así las cosas, a Mari no le alcanzaban las horas para dar ejemplo.

De modo que aceptaba de buena gana la ayuda de Amalio, aunque eso significase las más de las veces enredarse en charlas y discusiones de política, literatura o cine que nada tenían que ver con el dolo, la alevosía y el acto administrativo pero que llenaban la habitación de humo de cigarrillos y la cabeza, imagino, de ideas grandiosas, y de humo, también.

A la piscina de Xavi, en aquellas tardes del primer verano, venía también en ocasiones la prima Elvira. La llamábamos así entonces, pero en realidad solo era pariente de Jaime el Seta. Aún hoy se me escapa el *prima* cuando me la cruzo por ahí, en los raros vericuetos en que esta ciudad fragua sus encuentros. De mi edad, o sea, algo mayor que su primo y un par de años más que el Microbio, pero a diferencia de los chicos, exhibía ya el brillo impúdico de un cuerpo que se escapaba a ratos de la infancia y una risa que quebraba el aire.

Cuando aparecía por la piscina, con un biquini de flores marrones que le bailaba a falta de formas que lo rellenasen y los andares de aprendiza de pantera, los juegos se detenían, se modificaban a su capricho y todo empezaba a girar en torno a ella. Lo cual, ni que decir tiene, al Seta le fastidiaba lo indecible: no solo le arrebataban el papel de árbitro y jefe de pista, sino que además lo hacía un personaje insufrible, incapaz de pegarle una patada a un balón, de trepar a un árbol o de cazar un saltamontes. Una niña, encima. Nada menos que su prima. El Microbio y yo, que en otras circunstancias hubiéramos cerrado filas con el Seta sin vacilar, hacíamos de mil amores una excepción tratándose de la prima Elvira.

Me embarcaba entonces en una competición solitaria de saltos acrobáticos, le disputaba a Jonás el privilegio de ir a buscar la cocacola de litro cuando Elvira insinuaba sed, o simplemente me dedicaba lo mejor que sabía a bailarle el agua. A pedirle que tirara objetos a la piscina para bucear tras ellos y devolvérselos, como un perro bien amaestrado. A reírle los mohínes. En fin, a todas esas cosas ridículas y tiernas que luego sigue uno haciendo, bajo distintas formas, por las mujeres que nos sorben el seso.

No sabría precisar cuándo descubrí aquello. Imagino que sería en los ratos solitarios de la clase de Religión, que a los alumnos exentos nos conmutaban por una hora de patio. ¡Alumnos exentos! Cualquiera diría que éramos multitud, pero hasta que Raúl Conde no sé ni cómo convenció a sus padres en séptimo, los únicos exentos en todo el colegio éramos el Microbio y yo. Ni siquiera los hermanos Michaels, tan rubios, tan *british* y tan protestantes, se acogían al dictado de una ley de libertad religiosa aprobada para amparar en la católica España el culto de los yanquis de las bases. Que a su vez amparaban la falta de libertades del resto. Paradojas de la historia. El caso es que, de forma algo enrevesada en mi caso, también sexo y religión acabaron envueltos en el mismo paquete.

Aunque tal vez ocurriera en alguno de los ratos de soledad que podía uno tener en el patio de recreo, especialmente en el de después de comer, el más largo. Lo normal era entrar a los juegos comunes, pero a veces el calor, o el cansancio, o un disgusto, me llevaban a un rincón con un tebeo, unas canicas o con la sola compañía de mis pensamientos.

Como quiera que sea, trepar a las canastas de baloncesto era uno de los entretenimientos habituales en el patio. Ya fuera a las armazones más pequeñas de las de minibásquet, que flanqueaban los lados mayores del rectángulo del patio, o las más altas del campo reglamentario, nos gustaba subir por los tubos de hierro pintados de verde, asiéndonos de un salto a una de las barras transversales, o trepar arrastrándonos sobre los tubos pulidos ya como una cucaña bruñida a base de continuas bajadas y subidas, para dejarse caer después deslizándonos a toda pastilla. Mi especialidad, a falta de la fuerza en los brazos de otros compañeros, era el camino más largo, el tubo que arrancaba del suelo e iba subiendo con una inclinación moderada hasta los dos metros y pico donde se enganchaba la armazón del tablero y el aro.

Buena parte del ascenso se hacía a pulso, con los brazos tirando del cuerpo, pero las piernas debían acompañar el movimiento, abrazándose a la barra, empujando o frenando el peso del tronco. En esos apretones, aferrando bien el tubo entre las rodillas enlazadas pero también con las ingles, se producían unas fricciones que pronto descubrí muy placenteras. No sé cómo, la verdad, pero sí estoy seguro de que nadie me inició en estos juegos, y de que nunca hablé del asunto con ninguno de mis compañeros. Ni siquiera cuando se cruzaban las miradas con el que, casi a la vez que tú, casi al mismo ritmo, y casi seguramente por la misma razón, trepaba en paralelo por el otro tubo de la canasta, apenas a metro y medio de distancia.

Con la práctica, descubrí que la sensación de placer —imagino que entonces lo hubiera descrito con un púdico «gustillo»— se acrecentaba si era capaz de subir dos o tres veces seguidas, a cierta velocidad. También que a veces, no siempre, el frotamiento intenso culminaba en una especie de vaharada de calor húmedo pero intensamente agradable, que trepaba directamente desde la entrepierna y se te agarraba a la cara, obligándote a cerrar los ojos un instante. La sensación de abandono, entonces, era peligrosa, en especial si olvidabas que estabas aferrado a un tubo a dos metros y pico de altura, con la fuerza de gravedad al acecho y el suelo asfaltado esperando abajo, sediento de sangre. Y aunque uno tenía la sensación de que algo se había mojado, sabías de sobra que aquello no era pis.

El Microbio me llamó con mucho sigilo. Se había acercado a la despensa a rapiñar galletas y chocolate, pero antes pegó la oreja a la puerta del cuarto de la tía Mari. Elemental precaución: sabía que estaba estudiando, pero también que si le pillaban picando entre horas le iba a caer un chorreo. Me contó que al principio no había oído nada, pero cuando estaba arrimando el taburete para auparse hasta el estante sonó un golpe seco, como de algo que caía, un libro gordo, le pareció. Se quedó quieto, temeroso de que el estruendo le delatara y apareciera la Tía con cara de malas pulgas, pero lo que oyó fueron risas contenidas —la de Amalio, inconfundible— y a Mari chistando.

—Bobo. Ten cuidado...

Así que se apeó de la banqueta, sin agarrar siquiera el chocolate, y vino a buscarme. Pegamos los dos la oreja a la puerta. No se oía gran cosa: retazos de conversación en susurros, risas ahogadas, largos lapsos de silencio. Nos reíamos, sin entender gran cosa; Jonás me miraba como si fuera parte de mis responsabilidades de hermano mayor saber qué se traían entre manos, mientras yo componía lo mejor que podía una expresión que venía a querer decir: «Si yo te contara...». Escuchamos un rato, pero la cosa no parecía muy divertida: la conversación raleaba, se eternizaban los silencios, chirriaban ocasionalmente los muelles de la cama. El Microbio empezaba a aburrirse, y me tiraba de la manga para volver al cuarto, pero yo aún confiaba en saciar un poquito más mi curiosidad. Entonces nos llegó un suspiro más largo, desgarrado, casi dolorido de la tía Mari:

—Ay, Amalio, me estás matando...

Sería el tono de la Tía, o sería el aburrimiento, el caso es que el Microbio se echó a reír, con aquella carcajada suya que rompía los vidrios, así que le pegué un empujón para hacerle callar, con tan mala suerte que se cayó de culo. Tocaba salir de naja, sin cuidarse de la discreción, ni del que quedaba atrás tendido en el suelo. La Tía tardó en salir del cuarto dando gritos un poco más de lo que uno hubiera esperado. No lo bastante como para darle al Microbio tiempo de huir, pero sí para arrastrarse hasta la despensa, y quedarse tirado junto al taburete.

—Jonás, cielo, ¿qué te ha pasado?

—Me he caído.

—Eso ya lo veo, pero ¿te has hecho daño?

—No, Tía..., pero tú... estás toda colorada... ¿Te ocurre algo?

Amalio se sonrió. Le vi desde la puerta del pasillo, adonde me había asomado con cautela, una vez que me pareció que no iba a haber bronca gorda. La Tía, la verdad, estaba encendida, casi sofocada.

—¡Qué tonterías decís! ¡Será el calor! Venga, a tu cuarto, que no te has hecho nada.

Fue el Seta quien propuso jugar a las tinieblas, creo yo que por fastidiar a la prima Elvira. A ella, en cambio, le pareció de perlas. Hubo que bajar del todo las persianas, ya medio echadas por el calor de la tarde veraniega, y correr las cortinas del cuarto de juegos para lograr la penumbra que requería el juego. El resultado era una oscuridad lo bastante perfecta como para que ni siquiera al cabo de unos minutos, con los ojos ya aclimatados, se viera gran cosa en el amplio cuarto de juegos. Después, decidir quién la ligaba —le tocó a Jonás—, esconderse en la oscuridad y esperar agazapado en un rincón, sintiendo un come-come que nacía del estómago, incapaz de parar quieto pero consciente de que cada movimiento delataba tu posición; escuchando las risas que se escapaban de otros rincones de la habitación. Los topetazos del Microbio buscando torpe a los escondidos. Las risas ya incontenibles cuando encontraba a alguno y comenzaba a palpar para averiguar quién era. Las cosquillas, o las carreras del que trataba de escaparse del perseguidor.

Nunca se vuelve a sentir esa emoción física del juego en la infancia. El temblor, el ansia, las ganas de ganar, la diversión en estado puro. Me encantaba jugar a las tinieblas, y no me gustaba perder ni en los entrenamientos, pero aquella vez, aun pudiendo, no me zafé cuando el Microbio me localizó en el hueco que quedaba entre la cama y la pared, cubierto con un almohadón y sudando a mares.

—¡Es Manu!

Elvira prendió la luz, la señal de que había acabado el juego, y juraría que me miró con sorna.

—Te has dejado, Manu.

—Y una mierda. Ha sido el maldito Microbio —pero creo que en mi vida soné menos convincente.

Llegó mi turno. Conté hasta cincuenta y no hice trampas, ni mirar por el rabillo del ojo ni acelerar la cuenta para obligarles a improvisar un escondrijo. Cuando empecé a buscar, la risa de conejo del Microbio le delató en las proximidades de la mesa, oculto entre las patas y sospecho que enredado en el cable del flexo. Pero cambié de rumbo; intuía que el Seta estaría dentro del armario, su guarida favorita. Tampoco fui hacia allí, sino que me dirigí hacia la cama nido pegada a la pared del fondo, no lejos de donde me habían cazado hacía un momento. Pero no llegué tan lejos. Una pierna desnuda se interpuso en mi camino; juraría que fue una zancadilla. Me detuve, aunque no necesitaba escucharla respirar, algo más agitada que de costumbre, para saber que se trataba de Elvira. En completo silencio me arrodillé ante el sillón en el que estaba arrebujada y comencé a seguir el contorno de la pierna con la mano. Cuando toqué la falda plisada supe que todo lo que no fuera gritar su nombre y dar por terminada la búsqueda sería hacer trampas. Pero seguí. Elvira no dijo nada: solo se le escapó una risita queda cuando mis manos treparon por su talle y, un poco más allá, palparon lo que no eran sino promesas de pechos en ciernes, apenas un brote algo inesperado. Elvira, lejos de hurtarse al contacto, se dejaba hacer, se estiraba para facilitar el paso de los dedos, compartía el temblor que me poseía como una fiebre. No debieron de ser más de dos minutos, tiempo suficiente para tocarle el cabello aún húmedo de la piscina, pasear mis dedos por su rostro, sentir las pestañas acariciar la palma de mi mano y rozar de nuevo los labios, el mentón, el cuello...

Pero el portazo del armario y el grito del Seta rompieron el silencio.

—¿Qué, Manu? ¿Buscamos o no?

Le oí dirigirse al interruptor, y me aparté de golpe del sillón, encaminándome al escondrijo de Jonás, con la esperanza de que la luz encendida me pillara lejos de la escena del crimen y con la cara agachada.

—¡Te pillé, Microbio!

—No vale, Jaime ha encendido la luz.

—Te la ligas otra vez —sentenció el Seta.

—Sí, se la liga Manu —corroboró la prima, justo cuando iba a protestar.

—Y esta vez, a ver si te espabilas un poco, chaval, que estás atocinado.

El juego prosiguió esa tarde. Aunque solo tuvimos ocasión de encontrarnos otras dos veces en las tinieblas, la prima Elvira y yo. Lo justo para dejarme palpar yo, para que la ligara ella otra vez, para rozarle los labios con los labios. Hubo más tardes, más juegos de tinieblas, y hasta más besos sin excusas, pero nunca el temblor de la primera vez.

—Oye, Manu...

—Dime, Microbio...

—¿Tú crees que le estaba haciendo daño?

En circunstancias normales, la respuesta habría sido un almohadazo seco y preciso en mitad de la cara. Pero imagino que el desconcierto y la curiosidad también habían calado en mí.

—No digas tonterías, Microbio, ¿tú crees que la iba a hacer daño?

—Pues como cuando tú te me subes encima, y me apresas los brazos con las rodillas, y me das tobitas en la nariz.

—Pero eso es un juego, enano.

—Ya, pero hace daño.

Los ratos de antes de dormir eran nuestro momento. Se notaba en que podíamos llegar a discutir, y por supuesto a liarnos a almohadazos, pero nunca había verdaderas peleas. Si montábamos demasiado follón, algún adulto asomaba la cara en el umbral y uno de los dos —normalmente yo— era expulsado de las camas nido y enviado a dormir a la de los Padres. Y ahí se acababa la diversión. Así que teníamos buen cuidado de no armar gresca; al contrario, era el momento de compartir aventuras o ensoñaciones, de comentar los sucesos del día, de hablar de los amigos, los juegos, las tristezas o los miedos. También de las risas calladas —para no alarmar a los vigilantes— y de las caricias, en forma de masajes que iban y venían de la cama de abajo a la de arriba, ateniéndose a una estricta contabilidad de reciprocidades. Cuando aún hoy me recuerdan que Jonás y yo nos pasamos la infancia como el perro y el gato, me vienen a la cabeza nuestros ratitos de antes de dormir, y no puedo evitar una sonrisa.

—Ya. Pero es un juego. Y además, si le hiciera daño, gritaría, ¿no?

—O sea, ¿que tú dices que le gustaba?

—Sí. Yo creo que sí.

No es que las tuviera todas conmigo, pero a veces tocaba hacer de hermano mayor que sabe de la vida.

—Oye, Manu..., ¿tú has besado a alguna chica... en la boca?

De esta no se libró. Ahí sí que le cayó un almohadazo en plena jeta. Pero según volaba de vuelta la almohada, al escuchar la carcajada del Microbio, supe que aquel golpe era la más cándida de todas las confesiones.

—¿Y POR QUÉ LA MADRE NO SE DA A LA FUGA? 157

—No digas absurdidades, Jonás —zanjó la tía Mari.

Una de las ventajas de la llegada de Mari a la casa fue que con ella volvió a entrar la nocilla. La Madre nos la tenía prohibida, porque a mí me salían granos y al Microbio le tocaba fastidiarse para que no me diera envidia. El caso es que a los dos nos gustaba a rabiar, y descubrimos en una de las primeras visitas al súper que nadie había informado a la Tía. Desde luego, no íbamos a ser nosotros quienes la sacáramos de su error, de modo que la crema de chocolate se había vuelto a convertir en la merienda habitual. Así que aquella tarde yo no pude responderle al Microbio porque tenía la boca empalagada del primer mordisco a la primera rebanada y la marca del bigote de un marrón intenso y un dulzor con sabor a prohibido.

Lo cierto es que yo llevaba días pensando lo mismo, desde que el Lute había logrado escapar de nuevo y tenía detrás a todas las comandancias de la Guardia Civil de España pisándole los talones, según decían los periódicos. Lo malo es que los talones del Lute lo mismo dejaban huellas en la campiña de Córdoba que en las barriadas de chabolas de Hospitalet, aunque años más tarde se supo que se había guarecido en uno de los colectores del alcantarillado de Sevilla, asqueado y acojonado pero vivo y libre. Eleuterio Sánchez había abierto un boquete en una pared en compañía de otros cuatro presos de la prisión de El Puerto, había recorrido un murete a ocho metros de altura sobre las narices de los carceleros, había saltado un tejado y se había deslizado con una cuerda de fabricación casera hasta besar el suelo de la calle.

—No se puede fugar porque no tiene nada con lo que hacer un agujero ni la han llevado en tren a ninguna parte, imbécil.

Jonás pareció encontrar razonable la explicación. Según nos había contado el Padre, a la Madre la trasladaron en un furgón con otras presas del mismo sumario directamente de la DGS en la Puerta del Sol a Yeserías. Imaginábamos que esposadas y vigiladas, pero eso no nos lo habían explicado. Luego tuvo que acudir una vez a declarar ante el fiscal, cuando llevaba un par de meses en la cárcel, tiempo de sobra para haberse agenciado una horquilla del pelo con que hacer una ganzúa para destripar los grilletes, como en la primera fuga del Lute. Seguramente también para empezar a cavar un túnel. Si es que no lo había terminado ya. Todo eso, claro, eran imaginaciones del Microbio, pero estaba convencido de que si no soltaban palabra era porque estaban tramando algo. Además, a nosotros nunca nos contaban nada hasta que ya no tenía remedio.

El sueño de Jonás, según me lo relató una mañana de sábado mientras matábamos el rato jugando al robaterrenos con un destornillador despuntado bajo las acacias, era más o menos así.

El Microbio iba sentado en un vagón de tercera con el abuelo Antonio —cosa rara, porque el Abuelo siempre viajaba en primera—, frente a una pareja de guardiaciviles que escoltaban a dos presos, esposados el uno al otro. El Abuelo iba charlando con los guardias —lo que no era tan raro, porque era muy dado al palique— mientras Jonás no apartaba los ojos de los trasladados. Entonces los vio revolverse inquietos, y se fijó en que el más moreno manipulaba distraídamente una pieza de metal junto al cerrojo. Jonás abrió la boca para decir algo, pero el hombre se percató de que había captado la maniobra y le dirigió una mirada que mi hermano describió como «aterrorificante». El Microbio cerró la boca, y se volvió a mirar al Abuelo, pero este no le hizo el menor caso. Cuando giró la vista hacia el hombre, este le mostró discretamente la mano libre, le dedicó una sonrisa y le guiñó el ojo derecho. Supongo que ese detalle obedecía a que el Microbio nunca había aprendido a guiñar más que el izquierdo, y lo del preso le debió de parecer todo un derroche de pericia. Jonás volvió a cerrar la boca, y permaneció mudo mientras el hombre moreno se dirigía al mayor de los guardias:

—Permiso para hacer mayores.

—¿No te puedes aguantar un poco, hombre?

—Me lo haré encima, cabo.

Los civiles intercambiaron una mirada y por fin salieron del compartimiento a regañadientes, camino del excusado. El preso moreno se despidió con un nuevo guiño —del ojo derecho, fijo—, su compañero de traslado pálido como una hoja de papel de fumar y los guardias empuñando tensos los mosquetones.

No le dio tiempo casi ni a tirarle de la manga al Abuelo. Sonaron gritos, un golpe fuerte, juramentos, carreras, y al poco dos o tres detonaciones, y el chirrido de los frenos del tren en parada de emergencia. Para entonces, ya no era el abuelo Antonio quien estaba a su lado, sino la Madre, que le sonreía contenta y le alborotaba el pelo.

—Vaya mierda de sueño, Microbio.

—¿Por qué lo dices?

—Porque eso no es un sueño ni es nada. Es lo que cuenta el periódico de la fuga del Lute. Y además, ni siquiera es la de ahora: eso fue en la prehistoria.

—¡Y una mierda para ti, Manu!

—¡Doble para ti, Microbio!

—A ver, ¿dónde has visto tú que en el periódico cuenten que había un niño en el vagón donde iba el Lute?

La verdad, no recordaba el detalle, y eso que me había leído de punta a cabo todo lo que traía la prensa en aquellos días sobre el asunto. Así que por no darle la razón lancé el destornillador lo más lejos que pude, e inclinándome sin mover los pies del suelo tracé una larga raya de un borde a otro del recuadro, atravesando el punto donde había quedado clavado.

—Vale, listillo, ahora prueba a superar esto.

El portazo retumbó como debieron de tronar los disparos de mosquetón en el pasillo de aquel tren. Lo extraño era que quien salía de la casa, con una maleta apresuradamente hecha y unos gruesos libracos bajo el brazo, era la tía Mari. Si hubiera sido el Padre, que solía pegar gritos tremendos cuando se le subía el cabreo, no nos habríamos sorprendido tanto. La discusión, una más de las muchas que habíamos entreoído en aquellas semanas, había transcurrido tras la puerta cerrada del despacho del Padre. Aunque no nos llegaban más que retazos, era fácil suponer que el motivo era el de otras veces. La Tía le reprochaba al Padre estar poco en casa, tratarla como una criada y dejar de lado a sus hijos; o sea, a nosotros. El Padre se defendía como podía:

—Si hubiera querido casarme contigo, te lo habría pedido a ti, Mari, pero me casé con tu hermana, ¿eres capaz de entender eso?

—Cualquiera lo diría.

—¿Qué cojones quieres decir?

—Está bien claro, ¿no?

—¿Ah, sí? Pues explícamelo porque a lo mejor no lo he 161 entendido bien.

—Lo que digo es que parece mentira que tengas a tu mujer en la cárcel y hagas lo que estás haciendo.

—¿De qué hostias me estás hablando?

—Lo sabes de sobra. Y debería caérsete la cara de vergüenza, ¿sabes? ¡Tienes dos hijos!

—No me tienes que explicar que tengo dos hijos, bonita. ¿O quién te crees que les daría de comer mientras tu hermanita se dedica a jugar a la revolución?

—¿A eso se reduce todo? ¿A darles de comer? No, Manuel, ser padre es bastante más que eso. Mi hermanita, que te recuerdo que es tu mujer, se deja el pellejo luchando para construirles un futuro mejor.

—Ya. Y mientras tanto el presente me lo como yo con patatas.

—Y con cubalibres para pasar el trago, también.

—Te estás pasando de la raya, Mari.

—Seguro. Pero no estaría de más que tú pasaras alguna noche más en casa, en vez de volver a las tantas apestando a ron y a... y a...

—¿A qué, Mari? Dilo.

—A... perfume barato.

—¿Así que es eso?

—¿Qué otra cosa va a ser? Mírate al espejo. Eres un egoísta y un caprichoso: te importa todo una mierda. Pase que te desentiendas de todo lo que está ocurriendo en este país, pero no de tus hijos. Eso no te lo voy a consentir, Manuel.

—Esta conversación se ha acabado, Mari. Nadie me tiene que decir cómo llevar mi casa, o mi vida, para el caso. Si no te gusta lo que hay, ya sabes dónde está la puerta.

—De sobra lo sé. Y si no la he cogido antes que sepas que es por los críos.

—No faltará quien los cuide, de eso puedes estar segura. Tienen a su padre.

—Sí. ¡A su padre! ¡Menudo padre!

Se produjo un silencio. Luego la puerta del despacho se abrió y se cerró con brusquedad. La Tía se encerró en su cuarto —tampoco era la primera vez—, pero al poco salió con la maleta. Después sonó el portazo, como un trueno.

No había pasado ni un minuto cuando oímos una llave rascar áridamente sobre el pestillo de la puerta de la calle. La Tía entró al cuarto de estar con los ojos enrojecidos y la expresión descompuesta. Sin decir palabra, me plantó un beso en la mejilla y a continuación estrujó al Microbio en un abrazo largo, intenso, que Jonás soportó rígido como un poste, supremamente desconcertado. Después se puso en pie, dejó las llaves sobre la mesa del comedor y salió de la casa, esta vez con un chasquido suave.

—¿Por qué lloras, Microbio?

—¿Tú por qué crees, imbécil?

Entonces yo también rompí a llorar, hipando quedo y sorbiéndome las lágrimas. Por nada del mundo quería que el Padre saliera del despacho y me pillara moqueando.

—Si cavamos un hueco lo bastante hondo y seguimos cavando y cavando llegaríamos a la China, ¿no, Manu?

—Solo si te desvías por el camino, Microbio.

—¿Y por qué iba a desviarme? No hay más que cavar hacia abajo.

—Lo que digo es que las antípodas de España no son la China, sino Australia.

—Vaya. ¿Y tú crees que la Madre sabrá eso?

—Ya lo creo: la Madre sabe un cojón de cosas. Y más vale que tú te lo vayas aprendiendo: el curso que viene empiezas con la Geografía.

—Yo ya sé *jografía,* ¿qué te has creído?

—Me he creído que eres un maldito microbio y que más vale que tires de una maldita vez el clavo antes de que te parta la crisma o corra el turno.

Jonás alzó el brazo y lanzó el destornillador despuntado con toda la fuerza de que fue capaz, pero con tan poco tino que rebotó contra el suelo y pasó rozándome el muslo.

—¡Ten cuidado, Microbio! Casi me rebanas un huevo.

—Pues si te lo rebano aún te queda otro —rió, mientras corría a recoger el punzón.

—¿Por qué preguntabas lo de la China?

—Está claro.

—Pues explícamelo, porque a lo mejor no lo he entendido bien —respondí, arrebatándole el destornillador y disponiéndome a clavarlo en la tierra reseca.

—Está clarísimo. En la China están los comunistas, y digo yo que a la Madre le conviene más estar donde mandan los suyos.

—Eres imbécil, Microbio —masculló mientras trazaba la raya que expulsaba a mi hermano del recuadro—, y acabas de perder.

Al Microbio no le molestaba gran cosa que le ganaran. Y no solo porque estuviera acostumbrado, sino porque no tenía sangre en las venas. Al menos no el mismo tipo de sangre que se me trepaba a la cabeza cada vez que el Lindo Galindo me zumbaba a las canicas o Joserra se atrevía a ganar al Monopoly. Por eso no entendí por qué se me quedó mirando de hito en hito mientras recogía el punzón y empezaba a trazar el recuadro para jugar una nueva partida.

—Oye, Manu, y si te quedas con un solo huevo... ¿me convertiría yo en el hermano mayor?

Tuvo suerte de echar a correr mientras se reía como un descosido. Porque el destornillador lo tiré a dar, y a mala leche.

En aquella época inauguró el Padre la moda de los recados. Imagino que era porque como la Tía ya no estaba empezó a pasar más tardes en casa. A mí solía mandarme al kiosco a comprarle el periódico, a eso de las cinco: era el *Informaciones*, «Diario vespertino», que quería decir que salía por las tardes. Así cogí la costumbre de echarles una ojeada a los titulares mientras volvía hacia casa. Luego comprobé que también el *Ya* traía sección de sucesos, cargada de crímenes pasionales y en aquellos días casi monopolizada por las hazañas del Lute. En cuerpo más pequeño, leía que la Benemérita había irrumpido en algún domicilio de un pueblo perdido y desmantelado una timba ilegal. Recuerdo que eran sobre todo de julepe o de monte. Al abuelo Antonio le gustaba jugar al julepe, así que no acababa de entender por qué la Guardia Civil no irrumpía en Villa Julia y se llevaba esposados al Abuelo, al médico de Jubia y a los dos o tres amigotes que solían formar la partida. Me llamaban la atención también las noticias sobre la desarticulación —esa era la palabra— de una célula de alguna banda u organización subversiva. Los nombres de los detenidos, cuando los había, figuraban siempre en iniciales. Pero eran sobre todo las fotos donde las fuerzas de orden público mostraban el material incautado a los delincuentes: paquetes de octavillas, banderas rojas, retratos del Che, una o dos máquinas de escribir, a veces una multicopista como la que utilizaban en el cole para preparar los exámenes, que yo había visto cientos de veces usar a Julio Vicente, el profe de Matemáticas, tecleando pesadamente con dos dedos para dejar bien marcadas las letras y rellenando luego las fórmulas a bolígrafo, cargando mucho la mano, y usando un disolvente de color bermellón —juraría que era acetona— cada vez que había que rectificar un error. Todo aquel material incautado, incluido el póster del Che, formaba parte del atrezo de mi vida cotidiana. Lo cual, imagino, me ayudaba a entender por qué se habían llevado detenida a la Madre.

De aquellas, sin embargo, lo que me tenía fascinado era el Lute, que seguía sin aparecer. Yo devoraba la sección de sucesos, y almacenaba cuidadosamente los detalles sobre la vida del quinqui que traía de cabeza a toda la policía, aunque al decir de la prensa las fuerzas del orden siempre disponían de pistas que podrían conducir a dar con su paradero. Hijo de quincalleros nómadas, aunque no gitano —la diferencia tenía su aquel—, Eleuterio Sánchez se había comido toda la miseria y el hambre de la España imperial de la posguerra, aunque eso, claro, no lo contaban los periódicos. Lo que sí recordaban es que había sido condenado por asesinato con tan solo veintidós años, por un robo que acabó con un tiro y una fuga a lomos de una motocicleta en compañía de un tal Medrano y un tercer tipo del que no se supo nada entonces. Pero sobre todo era experto en fugas. La primera, el mismo año que nació el enano; Eleuterio Sánchez, condenado a muerte en consejo de guerra, conmutada luego por treinta años, había pedido permiso para ir al baño en el curso de un traslado, entonces se deshizo de las esposas con una llave que había alojado en el recto, se quitó de en medio de un empujón a uno de los picoletos que lo custodiaban y se arrojó de un tren en marcha. La última, por el boquete del penal y cruzando aquel muro al que los presos comenzaron a llamar Avenida del Lute.

Al cabo de días de verme enfrascado en los papeles, a Jonás al final le picó la curiosidad, pero era demasiado vago como para leérselo todo él solo, así que se limitaba a mirar los pies de foto y a pedirme que le fuera contando lo que leía. Sobre todo lo referente a las fugas. Insistía en que le repitiera los detalles una y otra vez. Uno que le intrigaba mucho era cómo podía meterse una llave en el culo, por pequeña que fuera; un supositorio, claro (los dos teníamos experiencia en la materia), pero ¿una llave? Jonás formulaba preguntas imposibles de responder con la información que daban los periódicos. Quería saber todos los cómos, los cuándos y los dóndes. Quién estaba presente, por qué lo hicieron en Nochevieja, qué grosor tenía el muro y con qué lo habían destripado, cuántos metros tuvo que saltar, cómo había conseguido abrir unas esposas, a qué velocidad se podía saltar de un tren o un coche en marcha. Detrás de tanta pregunta, no era difícil imaginarse qué le bullía en la cabeza.

La tía Mari regresó una tarde que no estaba el Padre. Ya habíamos contratado a la Reme, una chicarrona rubicunda y buena, que parecía recién llegada de ordeñar las vacas en la aldea. Lo parecía, claro, porque en realidad a eso se había dedicado justo hasta que alguien se la recomendara al Abuelo para venirse a servir a Madrid. No había terminado ni siquiera la primaria, pero sabía hacer unas letras floreadas con los flomasters de colores que a mí me parecían el colmo de la elegancia caligráfica, con las que delineó los nombres de las asignaturas para los separadores de mi carpeta escolar. Escuchaba la radio mientras planchaba, las radionovelas de amores desgraciados de primera hora de la tarde y sobre todo las historias reales de doña Elena Francis, narradas con tono envolvente por una locutora de Radio Nacional. Consejos de limpieza mezclados con recetas para reparar matrimonios desdichados mediante sobredosis de paciencia, amor a los hijos y resignación sin amargura.

Cuando llegó Mari yo estaba en la habitación que había sido suya, ocupada ahora por la Reme, haciendo los deberes con una oreja pegada al transistor y un ojo en los problemas de Matemáticas. La Tía me propinó un achuchón apretado, antes de arrastrarme de la mano a nuestro cuarto, donde estaba el Microbio, que se lanzó a abrazarla loco de contento.

—¿Te quedas, Tía?

Nos explicó que no. Que ahora vivía en un piso que compartía con otras estudiantes, porque no había conseguido que la readmitieran a mitad de curso en el colegio mayor. Que una tarde vendría a recogernos y nos llevaría a conocer el piso y a sus compañeras. Nos dijo que ya sabía por el Padre que ahora nos cuidaba la Reme, y que seguro que íbamos a estar estupendamente. Que teníamos que seguir estudiando mucho y portándonos bien. Estuvimos un rato charlando. Yo le enseñé la redacción por la que me habían dado un premio en el colegio y Jonás los libros de *Mortadelo* que se había comprado con las pagas. Nos preparó unas rebanadas de nocilla, aunque ya habíamos merendado. De vez en cuando, se paraba a mirarnos y nos apretaba un beso a traición. Al cabo de un par de horas anunció que se marchaba. Nos habíamos quedado sin ver *Antena infantil* pero no nos importaba demasiado. Al despedirse, la acompañamos hasta la puerta.

—Cuídamelos bien, Reme.

—Descuide, señorita.

—Jo —dijo Jonás.

—¿Qué te pasa, tontorrón? —respondió la Tía.

—¿Por qué te has ido tú también, Mari?

Se arrodilló frente a él, agarrándole la cara con las dos manos y mirándole muy seria a los ojos.

—Sois muy pequeños aún para entenderlo, cariño. Muy pequeños. Mis peques.

Y volvió a cubrirnos de besos y abrazos, antes de despedirse, con los ojos enrojecidos y temblando como un flan.

Tardaron aún meses en capturar al Lute. Fue en vísperas del final de curso, en esas últimas semanas en que los escolares se arrastraban empujados solo por la promesa de las vacaciones, celebrando cada hora que se recortaba el calendario de las clases, cada rato de sol ganado a la hora de acostarse, cada cuaderno que quedaba en casa, felizmente arrumbado tras los exámenes finales. El tiempo de las clases de relleno, de los recreos sudorosos, de las excursiones de un día a una cooperativa vinícola, de los guas ganados por fin al barro y de las carreras de chapas sobre la arena seca.

Cayó en un copo de la policía en una barriada del extrarradio de Sevilla, junto con su hermano Lolo. Un 2 de junio de 1973.

Llevaba fugado dos años y medio.

Eli de mis entretelas:

Te gusta la postal, ¿eh? Qué bonito es esto, y qué recuerdos, también. Hemos aprovechado unos días de sol para venir a la casa de la playa, a ver si tu madre se tranquiliza un poco, que está como loca con los preparativos de la boda. Por eso no te escribe esta vez. A veces pienso que nos iría mucho mejor si fuera ella la que pasara una temporadita a la sombra, en lugar de estar tú. Por lo menos se sosegaría un poco, y dejaría de ponerme la cabeza como un bombo.

Te diría que todo está sin novedad, pero lo cierto es que tu madre se ha embarcado en una guerra de trincheras con la familia política de tu hermana y a mí, que como sabes soy más el estilo *blitzkrieg* (o sea, guerra relámpago), me está atacando los nervios con sus pejiguerías y memeces. Aunque negaré todo si alguien se va de la lengua.

La parte buena es que nos reuniremos todos muy pronto. Bueno, casi todos. Te vamos a echar de menos, lo sabes, ¿no, nena? Mucho. Vale, ya te echamos de menos.

Aunque ya tengo ganas de ponerles la vista encima a los Microbios.

Y a ti de darte un gran abrazo y la reprimenda que te mereces por subversiva y, sobre todo, sobre todo, por boba.

Te quiere,

tu padre

YA ERA BASTANTE DESCONCERTANTE ENCONTRARSE A LUIS, EL mayor de todos los primos, con trece años que a mí me parecían el colmo de la madurez, tendido en la litera de abajo, boqueando más que respirando y llorando a lágrima viva apenas cinco minutos después de haberle visto bailar la conga aferrado a las caderas de una veinteañera reluciente de vestido estampado, al son de un tocadiscos instalado de urgencia bajo el emparrado. Pero semejante declaración, reiterada entre hipidos, acabó de descolocarme del todo:

—Manuel tiene a Rosa encerrada en un armario y no la deja salir.

Así que pensé que lo mejor era llamar a algún mayor, seguramente a su madre, la tía Lola. Jonás me miraba de hito en hito, como si dudara de que yo efectivamente hubiera encerrado a alguien en alguna parte.

—¿Quién es Rosa, Manu?

—No tengo ni la más remota idea, Microbio.

El jardín de la casa de los Abuelos estaba anormalmente superpoblado de mujeres con trajes de colores brillantes y mantones de Manila, de oficiales de la marina española en uniforme de gala —aunque sin sables, escondidos prudentemente en un armario tras un breve paso por el paragüero de la entrada—, muchachas con sandalias de tira fina, parientes trajeados hasta el techo, ancianas con peineta y mantilla y un corto puñado de niños, no todos conocidos. Sobre la mesa de piedra, no lejos del tocadiscos en el que había sonado el vals que abrió el baile, reposaban mediasnoches rellenas, algún canapé de confección casera, empanadillas y croquetas bien desengrasadas, platos de pulpo *a feira,* centollas y un gigantesco bol relleno de un líquido de un fascinante color rojo que respondía al nombre de ponche. Los niños, claro está, no teníamos permitido probarlo —ni siquiera en un día grande como era la boda de la tía Eugenia—, pero nunca faltaba un mayor que nos permitiera mojar los labios en el dulce brebaje. Hasta el Microbio lo había probado, aunque no le agradó del todo. Al primo Luis y a mí, en cambio, nos había encantado, así que nos dedicamos a ayudar llevando las tazas sin dueño a la cocina; que los niños echáramos una mano siempre era algo que caía bien. Por el camino, claro, apurábamos los fondillos de ponche para que llegaran al fregadero lo más limpios posible. Luis se había mostrado especialmente colaborador, diligente incluso. Y ahora reposaba sobre la colcha de listas, con la boca abierta y emitiendo gemidos que le partían a uno el corazón.

Los ecos del bullicio del jardín amortiguaban los lamentos de mi primo cuando entró su madre. Todas las mujeres de la casa, y en especial mis tías, lucían de princesas para la ocasión, renegando como camioneros mientras se deslizaban apresuradas escalera abajo sobre tacones de vértigo, en un revuelo de faldas con visos, fragancias espesas y risas nerviosas. En el salón de abajo, los hombres, descorbatados ya hacía un rato, apuraban la fiesta a golpes de coñac y chistes que los niños no entendíamos ni siquiera a medias.

A la tía Lola, que entró en el cuarto con las mejillas arreboladas y una sonrisa radiante, le mudó la cara cuando vio a su retoño tumbado, pálido, tembloroso y mascullando incoherencias.

—¿Te encuentras mal, hijo? Pareces acatarrado...

El primo asintió entre sollozos, mientras se dejaba poner la mano sobre la frente y tomar el pulso. La presencia de su madre pareció tranquilizarle lo bastante como para no mencionar de nuevo a la tal Rosa, ni involucrarme en una tentativa de secuestro en un armario. Arropado por su madre, se le sosegó la respiración y se dispuso a abandonarse al sueño. Fue entonces cuando llegó su padre, con una taza de ponche en la mano y la corbata desanudada.

—Jose, el niño está malo. Tiene un catarro.

Se acercó con paso tambaleante a la litera hasta acomodarse en el hueco que le dejó su mujer. Miró la cara del chaval con parsimonia, sonrió y le plantó un beso en la frente.

—Nena, este niño lo que tiene es una tajada como un piano.

—¡Qué cosas dices, Jose! ¡La criatura está pachuchita! —replicó indignada mientras le sacaba los zapatos a Luisito, que pugnaba por dormirse lo antes posible.

—Lo que tú digas, nena, pero mejor déjale dormirla —zanjó mientras se aferraba a la barra de la cama para alzarse, con evidente dificultad.

La tía dirigió a su marido una de esas miradas conyugales, que recibieron las espaldas renqueantes del tío Pepe, de regreso a la celebración. Por eso no advirtió el estremecimiento de la primera arcada que dio su hijo. Le habría dado tiempo a apartarse, el tiempo que le faltó cuando sonó el chapoteo de la vomitona que le cubrió los tules de la falda de tropezones de fruta nadando en un líquido que aún conservaba el inconfundible brillo rojo del ponche.

Me despertaron en mitad de la noche; al menos a mí me parecía noche cerrada, a juzgar por el estricto silencio que reinaba, más allá de las campanadas rutinarias del reloj de péndulo del salón y el crujir ocasional de las maderas en la planta de arriba. Solo el fluorescente que velaba sobre la mesa de grueso mármol de la cocina, donde solíamos cenar los niños, rompía la oscuridad que se había apoderado de la casa. Hacia allí se encaminaron mis pasos, envuelto en una manta, arrastrando aún el sueño del que apenas me había sacado la Abuela minutos antes: un zarandeo leve, delicado, mi nombre pronunciado en un susurro, una mano cálida que me colocaba el flequillo, acompañado todo de un «Despierta» solo lejanamente imperativo.

En torno a la mesa de la cocina, el Padre y el Abuelo, aún vestidos, charlaban en voz baja. Me sentaron en el taburete alto, que la Abuela acercó a la mesa alzándome en vilo. Ante mí, o lo que de mí pudiera estar presente a semejantes horas, un plato sopero lleno de una crema de un blanco inmaculado, espesa como un puré de patatas, grumosa y tibia. Por fortuna no olía apenas, pero a la primera cucharada mis esperanzas se desvanecieron y desperté abruptamente: aquella era la papilla de la que me habían hablado.

Todo había empezado con el agudo dolor en la tripa con que me había despertado dos días atrás. Un dolor tan intenso como no había conocido antes, ni siquiera cuando se me colaba un trozo de polo en los aledaños de una muela cariada. Doblado sobre la litera, incapaz hasta de llorar, esperé impaciente la llegada del médico, un hombretón con un bigote casi idéntico al del Abuelo, manos regordetas y habla cantarina de gallego, mitad palabras y mitad sonrisas. Tras saludar con un abrazo a la Abuela y palmear enérgicamente la espalda del Abuelo, se dirigió hacia el lecho de mi dolor.

—Así que este es el rapaz...

De aquella boda lo que más nos impresionó fue el arco de sables que formaron a la salida de la iglesia los compañeros del novio. Las hojas bruñidas brillaban al sol cansado de la tarde de mayo, amparando las cabezas de los recién casados, que lo atravesaron entre risas y tropezones bajo una densa catarata de granos de arroz. También soltaban destellos las charreteras doradas sobre el blanco de los uniformes de gala de aquel pelotón a la vez solemne y risueño. Suso era el novio de siempre de mi tía Eugenia, un hombretón barbudo de mirada perdida que caminaba a grandes zancadas, capaz al tiempo de quedarse largos ratos perfectamente quieto, ensimismado ante un periódico, sin pasar de hoja, perdido en pensamientos insondables. No era difícil imaginarle sobre la cubierta de uno de aquellos navíos grises que veíamos cuando el Abuelo nos llevaba a la base, apoyado sobre la borda, contemplando el mar de un azul interminable pespunteado por la espuma de las olas. En realidad, sin embargo, era oficial de máquinas, así que imagino que más bien pasaría las horas en el bullicio de la sala de motores, envuelto en vapores y una grasa densa como la sobrasada que rebosaba de los árboles y engranajes. A la tía Eugenia, o Yeni como la llamaban en casa, inquieta y charlatana como todas las hermanas de la Madre, le había encandilado la seriedad del hombre callado, pero lo que había terminado de conquistarla era la bondad inabarcable del marino de ojos tristes.

Por más que insistimos, no logramos que ninguno de los uniformados nos dejara practicar la esgrima aprendida en las pelis de piratas con uno de los sables de empuñadura de marfil fileteada de oro. Ni siquiera mirarlos de cerca; a lo más que llegó el Microbio fue a que le calzaran la gorra de plato para una foto. Los estuvimos vigilando cuando llegaron a la casa, y nos las prometíamos felices cuando los vimos depositados en el paragüero de cerezo de la entrada, pero alguien debió de adivinarnos las intenciones y los escondieron en uno de los armarios de la planta alta.

La recepción se celebró en la pequeña explanada que se extendía a los pies del porche. La hierba estaba segada del día anterior, y enseguida se cubrió de charoles, mocasines embetunados y sandalias de tafilete. Sobre las mesas cubiertas con manteles de hilo, bordados la mayoría por mis tías en sus clases de labores, el convite abundante de sándwiches, embutidos, escabeches, algo de marisco y carnes fiambres entreverados de cestas con pan de barra y biscotes. Los invitados, familia sobre todo, se fueron distribuyendo por el calvero, los mayores buscando acomodo en los sillones de mimbre o, cuando se ocuparon todos, en los dos bancos de listones pintados de rojo y blanco para la ocasión. Los más jóvenes se arremolinaban junto al tocadiscos, que emitía un empastado *potpourri* de valses, boleros, twists y mazurcas. Rondaban los uniformados los vuelos de las faldas de mis tías y las amigas de la novia se dejaban sacar a bailar si no tenían a mano un novio al que tironear de la manga para arrastrarle al suelo apisonado que servía de pista de baile. Los niños, un corto puñado, nos movíamos de un lado para otro tratando de captar retales de conversaciones, embromando a los que se atrevían a bailar, examinando con curiosidad los regalos expuestos en el salón, entrando y saliendo, apurando el disfrute de unas horas en las que la vigilancia de los mayores se relajaba cada vez más a medida que avanzaba la tarde. Cuando al caer el sol fueron retirándose los invitados de más edad, los jóvenes se adueñaron del jardín e impusieron un repertorio monótono de canciones de las llamadas lentas, bajo las furtivas miradas de los casados, que habían ocupado las plazas de asiento con sus tertulias trufadas de ingeniosidades y chistes.

Por fin, mientras Luis dormía la mona en la litera, alguien sacó la cazuela de barro y un par de botellas de aguardiente de caña para la queimada. El tío Pepe desenfundó la guitarra, y mientras formábamos un círculo en torno al licor llameante salpicado de mondas de limón, al tiempo que se repartían las tazas y los chales arropaban los hombros desnudos de las mujeres, arrancó el coro melancólico y festivo de las mejores reuniones familiares. Debí de quedarme dormido sobre uno de los bancos, abrazado al Microbio, porque recuerdo al Padre llevándome en brazos hasta el cuarto de las literas, envuelto en una manta que no había visto llegar.

Aquella fue la primera boda de la que tengo memoria. Desde luego, nos encantó viajar a Galicia fuera de fechas, perdiendo un jueves y un viernes de clase para poder llegar descansados a la boda, que se celebró un hermoso sábado de mayo, radiante y, pese a los temores de la Abuela, del todo despejado. Con el tiempo, había de asistir a varias bodas más de tíos y más tarde de los primos, pero ya nunca se celebraron en el jardín de la casa. No sé si fue porque a la Abuela empezó a darle pereza, o porque el Abuelo, concluidos ya los estudios de todos los hijos, podía permitirse agasajos de pago. O sencillamente porque habían cambiado los tiempos y los gustos. De aquella recuerdo, como digo, el brillo de los sables, la sonrisa desbocada del tío Suso y el olor dulzón de la caña quemada. También que fue la última a la que asistió el Padre.

Tras engullir la papilla me dejaron ir a dormir un rato, no mucho. Luego, con el relente de la madrugada y los zapatos empapados de rocío, nos metimos en el coche camino del hospital. Debía de ir adormilado, porque no consigo saber cómo aparecí en aquella sala alicatada de blanco, iluminada apenas por un flexo posado sobre la mesa de tablero metálico cubierta por un grueso cristal. Sé que me dejaron solo un momento, y que examiné con aprensión lo que a mis ojos era una reconstrucción fidedigna del gabinete del doctor Mabuse, o del doctor Moreau, o vete a saber qué siniestro matasanos de las películas de miedo. En un rincón, un armario metálico de medio cuerpo, con una puerta acristalada con llave, en cuyos estantes relucía el acero de una terrorífica panoplia de instrumental quirúrgico. Sobre las paredes, enmarcados, títulos, diplomas y orlas, amén de una lámina con un torso humano que mostraba en vivos colores las distintas partes del aparato digestivo. De un perchero erizado de ganchos colgaba un abrigo, y una bata con manchas de incierto origen. Un panorama nada tranquilizador.

Luego volvieron el Abuelo con el Padre y un médico flaco que arrastraba una indisimulable cojera, y al que no recordaba haber visto antes. Me vino a la cabeza otra sala parecida, donde un energúmeno armado de lo que parecían unas enormes espumaderas me extirpó las amígdalas de un corte limpio, y los borbotones de sangre caliente abrasándome la boca. Nunca se lo confesé al Microbio, pero temblé, y por un momento pensé que iba a devolver la maldita papilla.

La cosa, sin embargo, no fue para tanto. Por los pasillos aún medio a oscuras me condujeron a una sala más pequeña ocupada casi por entero por un aparato que reconocí sin dificultad. Con una voz sorprendentemente amable, el médico cojo me pidió que me quitara la camisa. Me colocó frente a una especie de ventana colgante, apretándome el vientre contra el cristal helado.

—Quédate así, Manuel, bien quietecito.

La máquina comenzó a crujir a mis espaldas hasta producir la radiografía.

—Ya está. Ahora hablo un momento con tu padre y puedes volver a casa...

Regresé envalentonado y aliviado del hospital. El Microbio mojaba galletas maría en el colacao sobre la mesa de la cocina.

—Ya te puedes ir levantando de ese taburete, Microbio. Es el mío.

—Entonces ¿no te van a rajar?

—No. Esta vez me he librado. Falsa alarma.

—Jo.

—¿Jo, qué?

—Nada. Que esperaba que me dejaras ver la cicatriz.

—¿Quieres ver una cicatriz? —le planté el puño a un centímetro escaso de la nariz.

—No hay huevos —contestó, mientras saltaba del taburete y echaba a correr por el pasillo.

Y yo detrás.

Poco antes de salir hacia la iglesia, cuando la casa no era aún un hervidero de uniformes y pamelas, los mayores se fueron congregando en el salón de abajo, al pie de la escalera, esperando que bajara la novia, mi tía Eugenia. Apareció risueña bajo el denso maquillaje, envuelta en sedas crudas, arrastrando una cola larga que la tía Lola, agachada unos peldaños más atrás, se afanaba en mantener un palmo por encima del suelo. Los niños acudimos atraídos por el estallido de los gritos de admiración y los silbidos, justo a tiempo de verla trastabillar en el último tramo de escalones, a pique de perder a la vez el equilibrio y la compostura.

—Dame una calada —pidió a la tía Mari, que fumaba un Winston cuyo aroma se mezclaba con los perfumes densos de las mujeres.

La Abuela abrazaba a la novia, mientras el abuelo Antonio pugnaba con los botones del chaleco del chaqué alquilado.

—Deja que te mire, Yeni.

Nosotros estábamos junto al Padre, que contemplaba la escena súbitamente serio, con el Microbio cogido de una mano y la otra posada sobre las hombreras de mi blazer.

—¿Mamá estaba así de guapa? —preguntó Jonás.

—Mucho más, Microbio, pero no se te ocurra decírselo a nadie.

Fue la única vez que oí al Padre llamar así a mi hermano. Y la única, creo, que a él no le importó que se lo llamaran.

—Oye, Luis, ¿quién es Rosa?

El primo se quedó callado un instante. Yacía tendido en la litera de arriba, como correspondía al mayor de los tres; no alcanzaba a verle, pero casi pude sentirle sonreír. A través de la puerta entornada llegaba el rumor de las conversaciones y los ecos del trajín de las mujeres que se afanaban en recoger la mesa de la cena. Era el día después de la boda, una jornada plácida de resacas y nostalgias. Por la tarde la labor diligente de las mujeres de la casa había logrado poner por fin orden en el desbarajuste provocado por la celebración. A algunos, sin embargo, les duraba aún la animación de las copas, como al tío Pepe, a juzgar por las risotadas que, atravesando la cocina y el pasillo en penumbra, se colaban en el cuarto de las literas.

—Es una niña de mi barrio.

—¿Vas a casarte con ella? —prosiguió Jonás el interrogatorio.

—No creo.

—Pero te gusta, ¿no?

Luis prefirió no contestar.

—Yo no pienso casarme en la vida —declaró solemne mi hermano.

—¿Ni siquiera para tomar ponche? —pregunté, con ganas de chinchar.

—Eso menos que nada —saltó Luis.

—Pues espérate que te toque la apendicitis y te tengas que tragar la papilla de bario.

Supongo que les había contado lo del bario sin ahorrar detalle: el sabor metálico, la textura terrosa, los grumos, el olor tibio que se te pegaba al paladar. El caso es que el primo Luis dio una arcada, asomó la cabeza sobre la barandilla y lo siguiente que oímos fue la salpicadura sobre el terrazo.

Querido Manuel:

Te escribo unas líneas breves para aclarar algunos asuntos prácticos. Yo estaré finalmente en Madrid el 27 o 28 para recoger a los niños, y de paso hacer algunas gestiones relativas al asunto que nos traemos entre manos. Ya he dado con la persona adecuada, y estoy pendiente de que me confirmen la fecha de la cita.

Sinceramente, creo que es un error de mi hija aferrarse a ese abogadito suyo, pero imaginarás que si tú no la puedes convencer, a mí ni siquiera me va a escuchar. En lo cabezota salió a su madre, eso seguro.

En cuanto al veraneo, no te preocupes por los gastos, ni cosa parecida. Son nuestros nietos, ¿recuerdas? Así que no quiero oír ni una tontería más al respecto.

Lo de que Mari te dejara tirado con los Microbios ya sabes que no lo trago. Tengo pendiente una conversación seria con ella, y aunque te honra que trates de justificarla, ya sabes que mi modo de verlo es muy otro. A las duras y a las maduras significa justo eso: a las duras y a las maduras, y la actuación de Mari en todo este asunto me ha defraudado mucho. Pero, como bien dices, supongo que debo esperar a escuchar sus razones, porque hasta la fecha no me ha contado nada más que milongas caribeñas, y ya me fastidia que me tomen por idiota.

Para la vuelta, vente a recoger a los niños cuando buenamente puedas. Ya sabes que no tenemos el menor problema en quedárnoslos hasta que empiece de nuevo el colegio. Incluso, si las cosas se torcieran, considera la posibilidad de matricularlos aquí en los agustinos para el curso que viene, ahora que van a dejar de ser infieles. Aparte de esas tonterías vuestras de comecuras, que son más del siglo pasado, sabes bien que en ninguna otra parte recibirán una educación mejor.

A este respecto, he vuelto a hablar con don Virgilio y está conforme en todo. Si me apuras, deseando iniciar la labor de evangelización, que me da a mí que este más que párroco de ciudad quiso ser misionero. En todo caso, se hará todo según lo acordado.

Escríbeme o dame un telefonazo si se te ofrece cualquier otra cosa. Y dales un fuerte abrazo de parte de su abuelo.

Otro para ti, yerno.

ANTONIO

EL CURSO SE RETIRÓ CASI A RASTRAS, COMO SI NO FUERA A TOCAR
nunca a su fin. Uno tras otro, los ritos se fueron cumpliendo: los exámenes finales, la merienda con trinas y cocacolas tras la función de despedida, las cartillas de notas, las dos últimas semanas sin clases por la tarde, los concursos de chistes para llenar las horas finales, casi interminables. Pero un buen día —un espléndido día de comienzos de junio— concluyeron las clases, y con ellas la obligación del uniforme, los horarios, los deberes y el irse temprano a la cama. A cambio, infinitas horas libres por delante, el goteo de los amigos que se iban marchando y la interminable espera del viaje a casa de los Abuelos.

Otros años nos enviaban a Galicia al poco de acabar el curso, pero esta vez tocó esperar a que bajara el abuelo Antonio a por nosotros, al acabar el mes. Había querido tener una conversación cara a cara con su hija menor, a la que reprochó dejarnos en la estacada. Conociéndolos, puedo imaginar que debió de ser una charla muy dura, para ambos, pero la Tía no soltó prenda de las razones de su marcha. Sencillamente, dijo, no podía seguir estudiando y cuidándonos, y puestos a elegir había preferido anteponer la carrera. Además, el Padre se bastaba y se sobraba para cuidarnos, y ahora teníamos a Reme. El Abuelo no se lo tragó, y no tardaría mucho en atar cabos.

Pero antes de que el Abuelo viniera a por nosotros, aprovechábamos las mañanas calurosas para haraganear un rato por la casa, de donde nos echaba Reme tan pronto atacaba las tareas de limpieza. Entonces me acercaba a buscar a Joserra, si no había venido él antes, y planeábamos las actividades de la mañana: los juegos sobre la tierra ya seca bajo las acacias —guas, carreras de chapas, clavos, fútbol o lo que tocara—, la construcción de represas con barro para atajar el agua que manaba de los surtidores de riego, esperando a que los jardineros abrieran la llave o forzándola a veces con unos alicates viejos, las incursiones al kiosco y el puesto del pipero, las batidas por el descampado, alguna excepcional visita a la piscina si algún mayor se prestaba a llevarnos. No faltaban cosas que hacer, incluidas largas horas de charla de las que a duras penas logro recordar algún retazo. Aquel mes de junio añadimos una nueva actividad al programa: conseguimos convencer a la hermana de Joserra para que me prestara su bici —más pequeña que la que yo tenía en Galicia, pero lo bastante grande como para cubrir la ruta que teníamos en mente—, así que a primera hora, antes de que empezara a apretar el calor, nos plantábamos en el sótano donde se guardaban las bicis e iniciábamos los viajes de exploración más allá de las lindes del barrio.

No sé bien cómo nos dejaban hacerlo a esa edad, sin más precauciones que una severa advertencia de que extremáramos el cuidado al cruzar las calles, que no circuláramos nunca sobre la calzada y la ayuda que nos podíamos prestar el uno al otro. Eso era todo: salíamos a las nueve o las diez de la mañana y no regresábamos hasta la hora de comer.

De ese modo recorrimos todas las calles del barrio, y cuando nos aburrimos empezamos a explorar los territorios fronterizos: la Quinta del Álamo, pegada al arroyo Abroñigal, del que solo quedaba el nombre y el cauce que aprovecharía años después la M-30. Más al oeste, la gran cicatriz de Arturo Soria, ocupada aún en buena parte por un bulevar polvoriento punteado de pinos enormes y algunas terrazas, enmarcado entre las dos líneas de raíles del tranvía número 70, que lo recorría hasta la plaza de Castilla. El día que cruzamos por primera vez Arturo Soria descubrimos que solo un poco más allá —a cinco minutos de pedaleo fuerte— se extendía la enorme colonia de chalés en la que se hallaba el colegio y en ella las casas de algunos de los compañeros. Casas con piscinas.

Así fuimos a parar una mañana a la casa de los Muñiz, y desde ese día el morral donde solíamos llevar el bocadillo acogió además el bañador y una toalla.

Fue un buen verano, a pesar a todo. A finales de mes se presentó en casa el abuelo Antonio, solo, para recogernos. Pasó un par de días en Madrid, moviendo gestiones suyas y —eso lo supe después— tirando de algunos hilos en relación con la Madre. Al regresar a casa, si no era muy tarde, nos llevaba al Mojácar a tomar una cocacola. Si estaba el Padre y tenían que hablar de sus cosas, nos daba dos duros para echar a la máquina del millón, que cundían lo suyo si uno era capaz de sacar alguna partida extra. Al Microbio se le daba particularmente bien, aunque no sé ni cómo lo hacía, si apenas le daban los brazos para llegar a la vez a los botones laterales de los *flippers*. Yo en cambio acababa aturullándome y le metía tales meneos a la máquina cuando la bola de acero amenazaba colarse, que invariablemente perdía una o dos bolas por falta. *Tilt,* parpadeaba la máquina; «tilit», leía el Microbio, con media sonrisa.

Una mañana escuchamos los bocinazos del taxi de Jenaro, un Milquinientos negro con sus listas rojas recorriendo los laterales de punta a punta, coronado esta vez por una baca que cubría todo el techo. Allí fue colocando el par de maletas y las bolsas que constituían nuestro equipaje, junto con el maletín del Abuelo. A Jenaro ya le conocíamos, con sus modales tímidos y su acento cerrado, pero la sorpresa fue que esta vez no nos iba a acompañar a la estación, sino que nos llevaría hasta la misma casa de los Abuelos. Así que tras las despedidas, con lágrimas ahogadas de Reme y recomendaciones de última hora del Padre, nos acomodamos atrás mientras el abuelo Antonio se instalaba de copiloto y el chófer metía primera y tomaba camino de la carretera de La Coruña, atravesando Madrid casi de punta a cabo. El Microbio y yo íbamos tranquilos, casi perdidos en las amplitudes del asiento de atrás del Milquinientos, pero, por si acaso, Jenaro se volvió cuando estábamos atacando la cuesta de las Perdices.

—Que quede claro: queda mucho; un montón. Y al primero que pregunte, me lo como con cachelos y pimentón. Como pulpo *a feira.* ¿Estamos?

El viaje llevó su tiempo, a la sombra del castillo de La Mota, donde murió encerrada Juana la Loca, cruzando el Duero para trepar luego las cuestas de Adanero, las rectas desoladas de La Bañeza, hasta el Bierzo, la puerta de Galicia. Lo peor, los camiones cargados de troncos para entibar camino de las minas, o del carbón que salía de ellas, que acechaban en las revueltas del puerto de Piedrafita, obligándonos a tragar humo negro o, casi peor, a sufrir los adelantamientos temerarios, a golpe de acelerador y claxon, de un Jenaro que nunca hubiera parecido capaz de tamaña audacia. Cuando llegamos, ya noche cerrada, estaba la Abuela esperándonos, con un buen plato de caldo y unos fritos de arroz azafranados que nunca tuvimos el valor de decirle que no nos gustaban nada.

Al día siguiente nos levantamos temprano y nos pusimos a recuperar el territorio de todos los veranos. Juntos o por separado, el Microbio y yo recorrimos la casa, la finca entera, para recordar con precisión dónde se guardaban las herramientas necesarias para la construcción de cabañas, qué quedaba de los tebeos de *Hazañas bélicas* que habían sido del tío Luis, qué mañas nuevas había aprendido *Napoleón* y a qué olían el resto de los perros de la casa, el sabor de las fresillas silvestres que crecían a la sombra de los manzanos y el tiempo exacto que se tardaba en bicicleta desde la verja de entrada hasta la tapia del fondal. Aclimatarse era parte del sentido de aquellas exploraciones, pero tan importante como colocar lo recordado era localizar lo nuevo, aunque hubiera estado allí de siempre. Un buen verano comenzaba siempre por una descubierta.

Y aquel fue un buen verano. Los manzanos del huerto estaban cargados de fruta, que literalmente vencía las ramas de los árboles y sembraba de manzanas de muy diversas variedades —las dulcísimas y pequeñas camuesas, las amarillas de San Juan, reinetas de sabor terroso, las sanroqueras ácidas, y otras tantas, leñosas, fragantes, duras— la hierba crecida que cubría casi toda la finca. La cosecha de manzanas significaba provisiones abundantes para los ratos de juegos, o de tumbarse a leer sobre el viejo capote del Abuelo al abrigo amable de cualquier frutal. La lectura fue uno de mis descubrimientos de aquel verano, para pasmo e irritación de Jonás, que cuando venía a buscarme para jugar, o a invitarme a la captura de un bicho palo o una mariposa convertida en presa fácil al calor de la siesta y me pillaba enfrascado entre letras, era despachado con un bufido. El Microbio no entendía nada; tal era su desconcierto que a veces se acomodaba a mi lado y agarraba alguno de los tomos en busca de respuestas. Como no las hallaba, probaba a interrogarme, y entonces se llevaba otro bufido, o un coscorrón.

—¡Que te pires, Microbio!

Empecé con unos tomitos en tamaño octavo que se recibían mensualmente en casa de los Abuelos, y se iban acumulando en las baldas de la galería de arriba: *Selecciones del Reader's Digest*. Tardé un tiempo en comprender qué eran aquellas historias que se acumulaban, sin aparente orden, entreveradas de páginas dedicadas a chistes de soldados, consejos de belleza y anuncios muy distintos a los que llenaban las revistas que leían los Padres. *Selecciones* era un compendio de resúmenes de libros, a veces de ensayo, o de divulgación científica, de política, pero también de novelas. En unas setenta páginas comprimían la novela estrella del mes, que figuraba al final, si no recuerdo mal, y antes incluían otros resúmenes más breves. Me cuesta ahora entender la lógica de semejante publicación, ni el atractivo que podía encontrarle el Abuelo, que era un lector severo y exigente; tal vez era la Abuela la que los disfrutaba, aunque jamás la vi con un *Selecciones* entre manos, más allá de la somera ojeada que les dedicaba cuando los traía el cartero. Lo cierto es que desplegaron ante mis ojos, que empezaban a abrirse a la curiosidad, un sinfín de historias —dramáticas, exóticas, épicas, románticas, históricas o utópicas, didácticas o simplemente fantásticas— entre las que picoteaba al albur de mis apetencias, pero con voracidad en aumento. No sé cuántos de aquellos resúmenes leí ese verano, pero calculo que equivaldrían a unos cuantos de miles de páginas de lectura no resumida. Y le cogí el gusto.

No es que antes no leyera: en casa no faltaban los libros. En realidad, era raro que no hubiera nadie leyendo en cualquier momento: la Madre el periódico o una novela; el Padre ensayos de todo tipo, revistas sesudas con artículos sin apenas fotos, novelas también; la tía Mari sus manuales de estudio, y también novelas —sobre todo policíacas— y libros políticos; incluso Reme, que devoraba las fotonovelas que reproducían a base de viñetas en blanco y negro y bocadillos de tebeo historias de pasiones imposibles, desgracias de mucho llorar y superación constante. El Microbio y yo tebeos, por supuesto, pero también libros de los llamados infantiles, como los de una colección que comprábamos en el kiosco, con tapas de tela amarillas, que abreviaba los clásicos de la literatura universal, de *Jane Eyre* a *Guerra y paz,* en dos versiones: unas viñetas de dibujo bastante apresurado cada dos páginas impares, y entre medias el resumen escrito, que Jonás nunca leía. Yo, a veces.

En algún cumpleaños o por Reyes me habían regalado las primeras novelas de Los Siete Secretos y de Guillermo el Proscrito, todos ellos grandes bebedores de cerveza de jengibre. Era lo único que tenían en común, aquel privilegiado cerebro maquinador de Guillermo (también llamado el Audaz) y la panda de niños cursis que se metían en aventuras del todo improbables (pero sumamente emocionantes). Lo de la cerveza de jengibre parecía común a todos los niños ingleses de los libros; tardé años en averiguar que se trataba de *ginger ale,* una versión de la gaseosa con gusto más dulzón.

Bajo los manzanos, o tumbado en la litera de arriba en las horas perezosas de sobremesa y siesta, agazapado en un rincón iluminado del desván, o sentado en uno de los bancos del emparrado, dedicaba horas a la lectura, horas que solo eran largas por lo que duraban. La sensación de transportarse a otro lugar y otro tiempo, de colarse en el pellejo de los personajes y vivir entre las pandillas juveniles de Chicago, o sudar la gota gorda atravesando el Kalahari en busca de un tesoro, o conquistar México en compañía de Cortés y sus extremeños a caballo; todo eso lo conocía de sobra, pero solo el cine —o la tele— habían sido capaces de proporcionármelo hasta entonces. Cuando descubrí el mundo de los libros —tras la pista de despegue de los *Selecciones* llegaron los tomos de papel rugoso de la Colección Reno, o las pastas de cuero de los clásicos de Aguilar—, descubrí el mundo detrás de cada libro.

Para tranquilidad de Jonás, no todo el día se iba entre páginas impresas. Había tiempo de sobra para explorar la huerta, para ayudar al Abuelo con las reparaciones, para ir a la playa o bajar a la ciudad de compras, para las visitas de los primos. Los días del verano atlántico se prolongan hasta pasadas las diez, con una luz suave y fragante que se retira desganada para dejar el cielo cubierto de estrellas. Era la hora de los grillos, las golondrinas y las luciérnagas.

Cada semana, el Abuelo aprovechaba la caída de la tarde para quemar la basura que había ido acumulando en serones a unos metros de la casa, junto con la hierba segada seca y la leña que iban perdiendo los árboles. Le acompañábamos en el porte de los desperdicios, peleándonos por empujar la carretilla en la que finalmente nos montaba para el último viaje, que discurría entre risas y baches por el camino que llevaba hasta el extremo más alejado de la huerta, el fondal. Después, apilaba el combustible con la horquilla, formando el montículo de la fogata: la basura, la leña y el papel debajo; la paja y la hoja seca por encima; lo menos combustible al final, para que se fuera calentando antes de arder. Junto a la horquilla, la pala ancha para echar la tierra con que se sofocaba el fuego y un cubo de agua si el tiempo estaba demasiado caluroso. La hoguera ponía fin a la semana, aunque la diferencia entre días laborables y festivos carecía de toda importancia en vacaciones; para nosotros, al menos. Pero marcaba un hito: detrás venía el fin de semana, y con él la visita de los tíos y los primos mayores —que aunque vivían cerca no solían aparecer entre semana—, las excursiones a la playa de los sábados, el vermú de los domingos antes de misa, las partidas de mus, las comilonas dominicales. Hasta que el domingo por la noche la casa volvía a vaciarse y nos quedábamos de nuevo solos los Abuelos y nosotros dos.

A la playa solían llevarnos, además del sábado, un par de días entre semana. Dependíamos para ello del tiempo atmosférico —siempre amanecía cubierto pero casi siempre acababa abriendo—, del capricho o las obligaciones del Abuelo, que era quien debía llevarnos en coche, y del calendario de compras de la Abuela. Los martes, por ejemplo, rara vez tocaba playa: era día de mercado, y de acompañar a la Abuela hasta las enormes naves de nervios de hormigón enjalbegado situadas en una alameda a los pies de la muralla. Era cosa digna de ver a aquella mujer moviéndose entre los puestos, saludando incluso allí donde no compraba, ponderando la frescura de unas fanecas o aspirando el olor de unos pimientos; tocaba también aguantar los comentarios cariñosos de las vendedoras:

—¿Sus nietos? ¿Los de Elisita? ¡Cómo crecieron!

Y enseguida los achuchones y las carantoñas con las manos frías y cubiertas de escamas de las pescaderas, o las bromas con el género de la dueña de la casquería —manos de cerdo, orejas, tripas, sesos—, con su delantal blanco cubierto de cuajarones de sangre animal. El mercado, con sus olores a vida recién segada, me daba un poco de repelús, aunque me intimidaban sobre todo sus moradoras, aquellas mujeronas de mofletes brillantes y ojos pequeños. A Jonás, en cambio, le encantaba husmear entre los puestos, replicar sus jaimitadas a las vendedoras y preguntar cómo se llamaba esto o aquello.

Pero si no era martes y el Abuelo no tenía que acercarse por la ciudad a arreglar asuntos o a atender la farmacia, y el día amanecía nublado pero abría, entonces agarrábamos el Dodge Dart, ya bien entrada la mañana, y salíamos camino de alguna de las playas inmensas, agrestes y desiertas de mi infancia: la inmensa masa de azul salado cubriendo el horizonte, pespunteada de la espuma blanca en las crestas de las olas, el estruendo con que rompía sobre la arena, los cielos de un azul intenso como el sabor del primer helado, el aroma a yodo, el aire que levantaba espinitas de arena de las dunas. A veces tomábamos el camino de Pantín, atravesando los montes cubiertos de eucaliptos y las canteras que tajaban los terraplenes de la carretera, para tomar el desvío al pie de la cuesta y de ahí al riachuelo, donde podíamos pasar horas persiguiendo pececillos con las manos desnudas, revolcándonos en el agua, inventando aventuras de desierto y selva, trepando por las rocas, buscando erizos o siguiendo a los pescadores de pulpos. Si no, un par de revueltas y un repecho más lejos, a Valdoviño. Otras veces el camino llaneaba entre aldeas y sembrados de maíz, hacia Meirás, como un enorme bocado que el mar hubiera excavado en la roca y llenado de arena de un brillo que dolía en los ojos. Más raramente a las playas mansas y recoletas, de aguas más templadas, de las rías.

En todas ellas, el olor y el fragor del mar helado nos llamaba, aunque solo podíamos meternos a saltar las olas en compañía o bajo la supervisión de un mayor. Entrábamos con prudencia, ateridos los huesos bajo las pocas chichas, más flacos que atléticos, morenos ya como tizones pero aún temerosos del frío que cortaba las piernas. Bastaba comenzar a saltar las olas para que la diversión del primer chapuzón le pegara un tantarantán al miedo y al frío, y dejara solo sitio para el salto, la risa y el disfrute. Luego, cuando estábamos ya casi amoratados, nos sacaban a voces o a rastras del agua para envolvernos en una toalla y abandonarnos, tumbados en el suelo, al abrazo cálido de la arena.

Hacíamos castillos, claro, y buscábamos lapas que despegábamos con un palo de la roca, y erizos de mar que el Abuelo nos dijo que se comían, y bígaros que sí habíamos probado cocidos, sacando el cuerpecillo gelatinoso de la concha con un alfiler. Aquellos días de playa fueron, que

197

recuerde, lo más cerca que he estado nunca de la vida del buen salvaje.

Algunas tardes ponían película en la tele, de sobremesa. Una historia francesa de niños que trepan a los árboles, hacen cabañas y se enzarzan en una guerra cuyo trofeo son los botones de la ropa de los de la banda rival me impresionó especialmente: *La guerra de los botones*, se llamaba. Nosotros también teníamos una cabaña, construida con la ayuda del tío Rafa, con unos cuantos palos apoyados en un tronco seco y cubierta como un tipi indio con una manta raída y el viejo capote militar del Abuelo, de un paño grueso y recio que picaba de mil demonios sobre la piel y apestaba a los mil humos de las mil hogueras y los mil cigarrillos que se habían fumado a su abrigo.

Cuando se encendía la tele en la hora de las películas solía sentarme en el suelo, la espalda apoyada contra el sillón de la Abuela, y agarrarle la mano para que me atusara el pelo. Al otro lado, Jonás, sentado sobre una sillita de enea, hacía lo propio. Así que mientras iban pasando los fotogramas, siempre en blanco y negro, y antes de que la Abuela se quedara dormida —algo que negaba vehemente, solo se quedaba traspuesta, decía—, nos dejábamos sobar las greñas como perrillos mimosos y necesitados. Como lo que éramos, supongo.

Aprovechábamos también esos ratos para pedirle a la Abuela que nos contara historias de nuestra madre, de cuando era una niña repelente con dos enormes trenzas morenas —así lucía en el retrato de familia que colgaba en el dormitorio de los Abuelos— que se sabía siempre la lección y hasta la letra pequeña. Jonás, sobre todo, mostraba una curiosidad insaciable hasta por los detalles más nimios: el colegio de monjas, las notas, los teatros, cómo se llevaba con sus hermanos, si era guapa, los juguetes que tenía... La Abuela nos iba relatando las anécdotas familiares, según le venían a la memoria, nos mostraba labores de costura que habían salido de aquellas manos cuando no tenía más años que los míos de entonces, lo orgullosos que estaban siempre sus profesores de cómo cantaba en el coro del colegio, y siempre acababa el relato con un suspiro:

—Ay, mi niña. Y mírala, ahora...

La historia preferida del Microbio era la de cuando la Madre —entonces solo Elisita— le partió una hucha del Domund en la crisma a una compañera de clase con la que había pasado postulando todo el día. Su compañera, que años más tarde ocuparía un cargo importante en la ciudad, le había propuesto adueñarse de parte de la recaudación, introduciendo un alambre para sacar alguna de las monedas gordas. La Madre, toda indignada, le golpeó la cabeza con la hucha:

—¡Es para los negritos! —gritaba mientras seguía dándole en la crisma.

Tan fuerte le dio que la hucha acabó abriéndose y desparramando su carga de monedas por el suelo, y las dos niñas terminaron llorando —una de dolor, la otra de rabia— antes de que apareciera un guardia urbano para poner orden entre los paseantes que se arremolinaban. Alguien acabó yéndole con el cuento a la Abuela.

También nos contó por qué le habían puesto Elisa, por una tía que había cuidado al Abuelo cuando quedó huérfano, y otras muchas historias de parientes lejanos y cercanos, de los hermanos de mi madre y del tío jesuita que había estado años en China, de su hermano encarcelado durante la guerra y de los primos de Argentina. Hay un momento en la infancia en que uno necesita saber de dónde viene, dónde están los suyos, qué cosas grandes o mezquinas han hecho. Si en ese momento tienes la suerte de tener a mano una abuela que trence esas historias como es debido, con mimbres de cariño, emoción y gracia, entonces anida en uno, para siempre, la conciencia de pertenencia: a una casa, a una familia, a una estirpe.

El Microbio, yo creo, no estaba aún en esa fase, pero oír hablar de su madre mitigaba un tanto la añoranza.

Algunas tardes, como nos había informado el Padre, nos tocaba asistir a catequesis con don Virgilio. Aunque eran pocas horas, salíamos de allí enfurruñados: el Microbio porque todo el asunto de los curas le exasperaba, y yo sencillamente porque me aburría como una ostra. Para compensarnos, el Abuelo ofreció una tarde llevarnos a pescar.

—¿Lo pensaste bien, Antonio? Mira que son pequeños..., ¿por qué no llevas solo a Manu? —le advirtió su mujer.

—¡Genial! —tercié yo.

—Que no —zanjó el Abuelo—. Me llevo a los dos, y sanseacabó.

—Tu verás —rezongó la Abuela, sabia o simplemente sabedora de lo que acabaría ocurriendo.

La pesca era una de las aficiones mayores del abuelo Antonio: pesca fluvial, sobre todo, de truchas en regatos y cursos altos de los ríos, pero nunca le pudimos acompañar en esas excursiones de madrugón, caminata y capturas generosas, porque la veda no coincidía con nuestras estancias veraniegas. Al menos eso solía decirnos, aunque creo que el recuerdo de lo que ocurrió aquella primera vez debía de pesar aún en su ánimo, años después, y por eso se deslizaba a hurtadillas, de madrugada, con los aparejos de pescador, dejando encargado a la Abuela que nos contara una milonga. Hacia el final del verano, a falta de truchas, el Abuelo entretenía el gusanillo con la pesca desde los muelles de la ría. Tenía un viejo amigo en el astillero —¿dónde no tenía amigos ese hombre en aquella ciudad?— que le franqueaba el acceso a las dársenas. Allí, entre descomunales masas de hierro de las atarazanas —vigas, chapas de varios grosores, armazones enteras— marcadas con claves de letras y números, salpicadas de minio o de herrumbre, movimientos de grúas como saurios de metal y un trajín continuo de obreros de mono azul y casco blanco, el Abuelo conocía un par de rincones donde lanzar la caña con relativo sosiego, y esperar la entrada de panchitos, fanecas y no sé qué otros peces minúsculos que él encontraba deliciosos.

Aquella tarde preguntamos no sé cuántas veces si podíamos despertar ya al Abuelo de la siesta; tantas, que al final acabamos por sacarle de la cama un poco antes de lo acostumbrado, pero no lo tomó a mal. Echamos al maletero del Dodge los aparejos de pesca —un par de cañas, varias liñas de nylon enroscadas en su flotador de corcho, la cesta de los anzuelos y los plomos y la vieja boina repleta de algas que olían a fango de la ría entre las que trepaban unas cuantas docenas de gusanos de mil patas, apestosos casi como las algas, que el Abuelo nos explicó que se llamaban miñocas—, un par de bocadillos para la merienda y salimos de la casa envueltos en expectativas fantásticas. Al Abuelo le delataba el canturreo que acompañaba la conducción. La tarde de pesca le hacía casi tanta ilusión como a nosotros.

Las cosas se empezaron a torcer al poco de instalarnos sobre el muelle. Al Microbio no le pareció justo que no se le asignara una caña, sino tan solo una liña, un sedal con un par de anzuelos enrollado sobre una pieza de corcho. Para zanjar la cuestión, el Abuelo me retiró la caña para cambiármela por otra liña, y ahí quien se mosqueó fui yo. Finalmente, también el Abuelo acabó enfadándose cuando trataba de enseñarnos a anudar los anzuelos sobre el sedal, una operación algo más complicada de lo que le pareció al Microbio a primera vista, como comprobó al notar sobre los dedos el filo agudísimo de los anzuelos. Un par de gritos y un par de tiritas más tarde iniciamos la operación de ensartar la miñoca. El Abuelo se empeñaba también en que aprendiéramos a hacerlo: había que agarrar el gusano por uno de los extremos, estrujarlo hasta sentir cierta dureza e irle insertando el gancho de modo que quedara lo más centrado posible: como si fuéramos a colocarle una prótesis de columna vertebral. La cosa era más fácil de explicar que de hacer: los gusanos eran escurridizos, se agitaban (sobre todo cuando los pinchabas con el anzuelo), tenían la piel bastante delicada (y muy pronto horadada) y en general se mostraban muy poco inclinados a colaborar. Para más inri, al Microbio le daban asco. Pero la operación era importante, como comprobamos al lanzar el cebo al agua. No faltaban los peces en aquellos muelles, así que pronto comenzamos a sentir tirones en los sedales...

—¡Han picado! —chilló Jonás, emocionado.

—¿Sí? ¡A ver! —Y salí corriendo hacia él, dejando en el suelo mi sedal.

Justo cuando el Abuelo decía: «No, Manu...», se oyó el plop del corcho sobre el agua. Una maldita faneca —o vete a saber qué bicho— se había llevado mi liña al mar. Para colmo, lo de Jonás resultó una falsa alarma: la miñoca estaba mal ensartada, y los peces se la zamparon sin molestarse en limpiar el anzuelo. Así que vuelta a empezar: más cebo para Jonás, una nueva liña para mí, y el Abuelo por fin pudo echar la caña, con un suspiro hondo. La tranquilidad no duró mucho: esta vez fui yo quien sintió tensarse el sedal y lanzó la voz de alarma, a la que respondió el Microbio corriendo hacia donde yo estaba —unos diez metros más allá—, sin soltar el corcho —mi hermano era más listo que yo, de siempre— pero cruzando por delante del Abuelo, y enredando su sedal con el de la caña... Deshacer los nudos llevó un rato, pero el buen humor del Abuelo ya no hubo forma de repararlo. Aun así seguimos allí un par de horas más, y no todas fueron malas: Jonás logró capturar un panchito, usando como cebo una avispa que el Abuelo había agarrado cuando se nos acabó la miñoca; él mismo echó otro par de peces a la cesta y yo logré al menos aprender a ensartar los gusanos en el anzuelo. Quedaban aún un par de horas antes de la caída de la tarde, la mejor hora, según el Abuelo, para la pesca, pero para entonces ya habíamos agotado el cebo —parecía mentira que se gastara tanto, y sobre todo que hubiera traído tan poco—, bastantes metros del sedal de nylon, algunos anzuelos y desde luego las reservas de paciencia del Abuelo para toda la temporada. Montamos en el coche, contento Jonás con su captura y yo envidioso aunque también satisfecho, y el Abuelo condujo de vuelta a casa, sin canturrear ni una sola nota.

Aquel verano también sacamos un rato todas las semanas para escribirle a la Madre. Jonás ya no pintaba batallas aéreas, y yo trataba de explicarle algunas de las cosas que descubría en mis lecturas. También le contábamos —porque nos lo pedía ella— las cosas que hacíamos, como lo de la pesca, y que el Abuelo había prometido volvernos a llevar pero no encontraba ninguna tarde que le viniera bien. «Por haches o por bes», como decía la Abuela. La Madre nos contaba a su vez lo que hacía en la cárcel —ya la dejaban trabajar en sus traducciones, y eso era bueno, porque saldría antes— y que lamentaba una barbaridad no haber podido venir a la boda de la tía Eugenia. Pero que seguro-seguro podría estar para cuando naciera nuestro nuevo primo (si no se daban demasiada prisa). También hablaba de lo de la comunión, y que le parecía bien lo que decidiera el Padre, y que seguro que a los Abuelos les haría mucha ilusión... pero que no olvidáramos que era cosa nuestra: y que si al acabar la catequesis no estábamos seguros de querer hacer la comunión, que lo dijéramos.

Cuando llegaban cartas de la Madre era el único rato que podía llevarme al Microbio a la huerta a tumbarnos bajo un manzano, a leer y comer fruta. Yo me enfrascaba en mis *Selecciones,* o en los libros gordos que había ido encontrando —un *Robinson Crusoe* encuadernado en piel que había sido del tío Pancho—, y el Microbio se dedicaba a la relectura de las cartas de Madre desde la cárcel.

EL NUEVO CURSO TRAJO SU CARGAMENTO DE LIBROS RELUCIENTES 205
bajo las fundas de plástico, plumieres flamantes, el mismo
jersey azul de lana gruesa del uniforme escolar y el reen-
cuentro con los viejos amigos. También algunos compañeros nuevos que aterrizaron en clase, alterando la jerarquía
de poderes de años anteriores. De Campillo, un internado
con fama de enderezar mimbres torcidos, llegó Juan, a
quien el Lindo Galindo bautizó de inmediato como la
Masa. Era un chaval enorme, que le sacaba casi una cabeza a Alcázar, hasta entonces dueño indiscutido del trono de
matón de la clase. Un par de roces desembocaron casi sin
solución de continuidad en una pelea a puñetazos en el
recreo de la mañana, que contemplamos todos mientras
compartíamos las porras y los bocadillos del almuerzo. Era
cosa de ver cómo la Masa apresaba la cabeza de Alcázar
bajo el sobaco, mientras este se debatía como un toro enra-
bietado tratando de zafarse de la llave. Sin éxito. Un par de
patadas al matón destronado, que bufaba en el suelo, acabaron con la dictadura de Alcázar, y entramos en el reina-
do de Juan I, la Masa, mucho más benévolo. Al nuevo gallito no le molestaban gran cosa los empollones; es más, nos
trataba con cierta condescendencia con tal de que le dejá-

semos copiar los problemas de Mates en los minutos que precedían al comienzo de las clases.

También siguió con nosotros Andrés como profe de Sociales, aunque ya no Maite ni Josean. De los camaradas, Manolo el Pera repetía curso, lo que comenzó a alejarle de la célula hasta que le perdimos de vista. El resto, sin embargo, volvimos del verano con energías renovadas y la esperanza de tiempos aún mejores.

Jonás sufría un profundo desconcierto desde que volvimos del veraneo. Algo andaba mal conmigo: no era solo que a veces se me olvidara llamarle Microbio, que prefiriera tumbarme en la cama a leer en vez de sacar el fort apache, o que renunciara a perseguirle por toda la casa cuando me pinchaba. Todo eso era ya bastante malo, porque significaba para mi hermano que empezaba a quedarse sin el compañero de juegos de toda la infancia: el rival favorito, la víctima de cabecera transformada a menudo en verdugo, y el *sparring* de todas las peleas. Pero la perspectiva que verdaderamente angustiaba al enano era pensar que ese desapego hacia cuanto la vida ofrecía de emocionante podría algún día hacer presa en él.

De todos los síntomas del cambio, dos le resultaban particularmente aterradores: el primero era la superación de la arraigada desconfianza infantil respecto a la higiene. Descubrí que el peine no era solo un instrumento de tortura que una mano ajena, rara vez delicada, hincaba en el cabello —hasta el cuero mismo— con la intención indisimulada de infligir dolor; manejado en cambio por uno mismo, y combinado con un uso discrecional del frasco de colonia, podía producir cambios de aspecto y expresión que merecía la pena explorar. Especialmente si esos cambios cosechaban algún tipo de respuesta al pasar frente al banco del parque donde se sentaban las niñas. Ni que decir tiene que la preocupación por el aspecto físico acabó afectando a la ropa que uno quería ponerse —descubrí que unos mocasines de piel blanda combinaban fantásticamente con los vaqueros gastados y la camisa de cuadros—, aunque sin remilgos exagerados aún en cuanto a la limpieza.

La otra novedad que tenía preocupado a Jonás era que empezaba a buscar la compañía de los adultos, o mejor dicho, su conversación. Después de años de pensar que cuanto menos hablase uno con los mayores, menos problemas, empecé a hacerme el remolón en las tertulias del salón, cuando venían amigos de los Padres a cenar, o algún vecino a ver un partido en la tele, o Maite a tomarse una cerveza los días en que Jaime el Seta dormía donde Xavi. Claro, que no entendía gran cosa de lo que hablaban: noticias que ignoraba en lugares que apenas situaba en el mapa, personas que ni me sonaban, libros que tardaría aún mucho en leer... Con todo, me gustaba quedarme a escuchar, y a mirar también. Escuchar a los mayores vociferando y desplegando un repertorio inagotable de palabrotas y giros gruesos, que iba incorporando poco a poco a mi propio diccionario, para soltarlos luego a la hora del recreo.

—A mamarla a Parla, Galindo.

Las conversaciones se salpicaban de gestos tajantes, de risotadas, de croquis esbozados en un papelito para detallar un concepto particularmente oscuro. Los argumentos se subrayaban con descalificaciones personales, golpecitos en los brazos, tirones de manga. En los raros momentos en que los adultos callaban, aprovechaban para echar un trago del vaso —cervezas, whisky, vino, cubalibres, dependiendo del gusto y la hora— o para repostar de la botella. Descubrí un día que si me ofrecía a traer las bebidas y los hielos de la nevera me volvía algo más visible para los mayores, y me dejaban remolonear un rato más. A mí, además, me gustaba sentirme útil, manejar el abridor para saltar las chapas y abrir las bolsas de aceitunas en un cuenco de cerámica. Lo único, lamentaba perderme un trozo de conversación, aunque sabía que esos primeros compases apenas revestían interés, que la tertulia empezaba a ganar a medida que el ambiente se cargaba de humo de tabaco y los botellines vacíos se acumulaban en el fondo de la despensa.

La curiosidad por entender algo más de lo que se cocía en la tertulia de los mayores me descubrió que los periódicos contenían otras secciones aparte de las de sucesos y deportes. Así que empecé a adelantar la hora de acudir al kiosco a por el *Informaciones*, para poder leer las noticias de la tarde antes de que llegara el Padre. Las páginas de nacional, no digamos de economía o cultura, resultaban sin embargo demasiado indigestas para mi estómago aún poco curtido, así que pronto descubrí que en internacional no solo salían los países de mis mapas de geografía, sino que además las cosas de verdad gordas siempre ocurrían en el extranjero: terremotos espeluznantes, bombardeos de diques en Vietnam o hambrunas en Etiopía. Comparado con todo eso, sinceramente, aquí nunca pasaba nada. Aunque resultaba penoso tratar de retener los nombres de los protagonistas o los lugares de la noticia, el esfuerzo merecía la pena.

No recuerdo sin embargo haber leído nada sobre las tensiones políticas que iban creciendo en Chile en aquel año. Sí en cambio, y nítidamente, la noticia del golpe de Estado que desalojó del poder a Salvador Allende, un 11 de septiembre. Y lo recuerdo no porque tuviera un juicio formado al respecto, ni siquiera porque me impresionaran las fotos de un Allende de corbata armado de casco y metralleta, ni desde luego porque tuviera ni la más remota idea de lo que se estaba ventilando en la punta de flecha de América Latina. Si lo recuerdo tan bien es porque aquel día el Padre me dio la primera lección adulta de política. La primera de muchas.

Aquella tarde, tal vez la del 12, la primera plana del diario venía ilustrada con una foto de armas incautadas en la residencia del presidente asesinado. Me pilló el regreso del Padre de la oficina, como otras veces, tratando de entender lo sucedido en Santiago de Chile, y como solía, le cedí de inmediato el diario. Por la cuenta que me tenía. Pero no pude resistir la tentación de comentar aquella foto. Lo que se me ocurrió fue algo así como que este Allende no debía de ser trigo limpio, si guardaba en su casa semejante arsenal. Abrigaba aún, imagino, la ingenua idea, transmitida a muchos escolares del mundo, de que la paz es sacrosanta y las armas horribles. El Padre, contra lo que esperaba, reaccionó con disgusto.

—A veces, Manu, hay que usar armas para defenderse o para defender a los demás de una agresión. Allende era el presidente elegido por los chilenos, y estaba plantando cara a unos militares que habían traicionado la confianza del pueblo que les había entregado, precisamente, las armas, pero para otra cosa.

—¿Entonces?

—Entonces, Manu, hay que aprender más cosas de las que hoy puedes leer en los periódicos.

No recuerdo exactamente el resto de sus palabras, pero sí con nitidez el sentido de lo que dijo. Que Allende estaba tratando de hacer cambios que el país necesitaba y que muchos chilenos deseaban, y así lo habían expresado en las elecciones. Que los norteamericanos le habían enfilado desde que nacionalizó las minas de cobre, quitándoselas a las empresas yanquis. O aún antes, porque temían más una revolución que se abría camino desde las urnas que a todas las guerrillas del mundo. Que eran días tristes para todos, y que lo iban a ser aún más para muchos chilenos. Que los mismos militares que habían desalojado a la fuerza —solo después de muerto— al presidente Allende del Palacio de la Moneda habían desencadenado ya una masacre contra su propia gente.

—¿Sabes que Allende era médico, Manu?

—No, no sabía.

—Imagínate entonces que alguien que había estudiado durante años para curar a sus semejantes tuviera que empuñar un arma, tuviera que matar incluso, para defender aquello en lo que creía —para entonces, hacía rato que se le había pasado el disgusto.

—Así que...

—Así que, Manu, las cosas no son siempre como las cuentan los periódicos. Pero eso —añadió revolviéndome el cabello— ya lo sabías tú, que eres un chico listo.

Solo pude sonreír, aún avergonzado.

—Y ahora saca los dados y llama a tu hermano, que lo mismo quiere echar una partida de mentiroso.

No sé muy bien cómo empezó aquello, pero el caso es que la Masa acabó adoptándome como secretario, sin que yo tuviera conciencia clara de haber solicitado el empleo, ni de desearlo siquiera. Creo que fue una vez en el comedor, entre empanadillas frías de atún y patatas fritas gomosas, porque recuerdo los dedos pringados mientras empuñaba el boli para escribir algo en un papel.

—Me han dicho que escribes muy bien.

Ni el tono ni las palabras del nuevo rey del patio delataban reproche alguno. Tampoco interés. Parecía como si tratara de determinar un hecho.

—¿Serías capaz de escribir una poesía?

Le dije que sí, que creía que podría. Ya había hecho mis pinitos y no se me daban mal las rimas. Había sido el único de la clase en tomarse en serio el encargo —el castigo, mejor dicho— de Josean de memorizar de un día para otro las coplas de Manrique. Pero en estas apareció uno de los amigos de Juan para ofrecerle una ración extra de flan y la cosa quedó ahí.

Días después, ya digo que no recuerdo bien cómo, la Masa me explicó la historia. Había una chica de las del colegio de las niñas que montaba en el mismo autobús. Porque aunque nuestro cole era solo de chicos, había a corta distancia otro gemelo, este de niñas, y las rutas de autocar eran comunes. Yo lo sabía, pero como iba y venía de casa a pie nunca me había percatado de lo que aquello significaba. Supongo que Juan no solo era más grande y un año mayor que nosotros, sino que también había crecido más en otros sentidos. Imagino que podría haberme fijado en la sombra de bozo bajo la nariz aplastada o en la proliferación de granos de grasa blanca y punta negra en el rostro. Pero uno solo empieza a fijarse en las cosas cuando empiezan a interesarle. De la chica aquella no me pudo decir gran cosa, salvo que se llamaba Asun y que no se atrevía a dirigirle la palabra, porque lo de hablar no era lo suyo.

—Soy tímido, supongo —confesó.

—Ajá.

—Pero me gusta un huevo.

El plan, según lo expuso, era darle una nota con unos versos, porque su hermano mayor le había explicado que a las chicas se las conquista por la oreja.

—Diciéndoles cosas bonitas. Pero yo no sé.

—Ajá.

—¿Podrías echarme una mano?

Le pregunté qué era lo que le gustaba de ella, y no supo contestarme. Cómo era, y tuve que esperar al día siguiente para obtener una descripción más o menos pasable de Asun, antes de poder ponerme manos a la obra.

El encargo venía envenenado. No podía permitirme el lujo de fallarle a la Masa en un asunto tan delicado, pero sabía de sobra que mis ripios no iban a valer para lo que él quería. Por muy zafios que fueran los gustos de la tal Asun. Tampoco podía pedir ayuda a nadie: Juan había sido extremadamente contundente en lo que se refería a la discreción.

—Ni una sola palabra a nadie.

—Ajá.

Así que después de un par de días de pelearme con las palabras, emborronando cuartillas de un cuaderno cuadriculado y cada vez más consciente de mis limitadas mañas de poeta, empecé a pensar en que tendría que tirar la toalla, asumir el fracaso y pagar el precio.

Fue entonces cuando, una tarde al regresar del colegio, me encontré un libro depositado sobre la mesa de estudio que compartía con Jonás. Entre sus páginas, uno de los borradores que había arrojado a la papelera, ahora cuidadosamente alisado, con una nota escrita en tinta negra de estilográfica con la caligrafía puntiaguda del Padre: «Veo que te empieza a tirar la lírica, chaval. Pero mejor empieza alimentando el gusto con buenos maestros». Firmaba: «Tu padre que lo es», y en aquel libro encontré la solución a mi problema. Eran las *Rimas y leyendas,* de Bécquer. El primer libro de poesía que leí del tirón.

A la Masa el resultado le pareció más que satisfactorio. Le encantó, de hecho. Lo copió con su letra atormentada y lo introdujo en un sobre, lanzándome un guiño.

—Gracias, Manu. Ya te contaré —mientras me palmoteaba la espalda.

Creo que nunca me ha sonreído tanto el azar; aquella fue la más feliz de todas las coincidencias felices. Y es que Asun tenía los ojos verdes. Verdes como el mar te quejas.

También en clase nos habló Andrés de Allende y de la riqueza de un país estirado como un chicle sobre la espina dorsal de América del Sur. Venía aquel día, como tantos otros, con un libro entre las manos: era el *Canto general* del poeta Pablo Neruda, chileno, diplomático a veces, comunista casi siempre y en una ocasión premio Nobel. Acababa de morir, decía Andrés que quizá de dolor y pena por su patria ensangrentada a manos de aquel general de gafas oscuras. Y aún no empezaban a llegar más que noticias sueltas de lo que pasaba en Chile; pronto, muy pronto, comenzaron a llegar también los exilados, chilenos que habían logrado escapar a la represión salvaje que siguió al golpe. Con algunos de ellos —con sus hijos— compartí más tarde los años mágicos del bachillerato, como también con los argentinos que vinieron después. Oyendo hablar de Chile, y de las amplias alamedas, se me quedarían grabadas a fuego en la memoria palabras como «picana», «Estadio Nacional», «Unidad Popular», «Valparaíso» o «Víctor Jara». Pero entonces aún no sabíamos nada de eso, ni siquiera Andrés, que nos leyó con su voz grave los versos del capitán Neruda.

> *Yo no vengo a llorar aquí donde cayeron:*
> *vengo a vosotros, acudo a los que viven.*
> *Acudo a ti y a mí y en tu pecho golpeo.*
> *Cayeron otros antes. Recuerdas? Sí, recuerdas.*
> *Otros que el mismo nombre y apellido tuvieron.*
> *En San Gregorio, en Lonquimay lluvioso,*
> *en Ranquil, derramados por el viento,*
> *en Iquique, enterrados en la arena,*
> *a lo largo del mar y del desierto,*
> *a lo largo del humo y de la lluvia,*
> *desde las pampas a los archipiélagos*
> *fueron asesinados otros hombres,*
> *otros que como tú se llamaban Antonio*
> *y que eran como tú pescadores o herreros.*

MAYO SERÍA EL MES DE LAS FLORES, PERO AL MICROBIO Y A MÍ la comunión nos tocó hacerla a finales de noviembre, con un frío que pelaba y la sensación de estar del todo fuera de temporada con el uniforme marfil de entorchados dorados. Camino de la ermita se pararon a mirarnos las pescaderas con sus sayas negras y las enormes tortas de mimbre cargadas de jureles y sardinas sobre la cabeza, y una paisana con katiuskas, un pañuelo de flores y mejillas de un rojo intenso; de la tahona asomó uno de los panaderos, que había salido a echar un pito, y saludó con una inclinación de cabeza al abuelo Antonio. Componíamos una extraña comitiva: dos niños de comunión pasados de años y equivocados de fechas, el Abuelo endomingado y protegiéndonos del orvallo con un enorme paraguas, la Abuela toda enjoyada y maquillada para la ocasión, la tía Lola y el tío Pepe escoltando al primo Luis en uniforme de colegio, y el Padre cerrando la comitiva, con su americana de pana sobre un jersey rojo de cuello alto y echando humo por la nariz. No del cabreo, que iba tranquilo, sino porque fumaba un Ducados detrás de otro. Era una especie de santa compaña diurna, como de horario infantil.

Nuestra primera comunión, como nos había advertido el Padre hacía unos meses, exigió una catequización de emergencia durante las vacaciones de verano. Pero don Virgilio, el párroco, debió de quedar tan horrorizado de las cosas que oyó en las primeras charlas que exigió tiempo para una labor más a fondo.

—No se hace usted idea, don Antonio, de la huella que una educación anticristiana ha dejado en estas pobres criaturas —le había confesado en voz baja al Abuelo cuando vino a recogernos.

—A mí me lo va usted a contar —bufó el Abuelo.

Imagino que se refería a lo que le dijo Jonás. Nos había estado explicando lo de las tres personas de Dios —y aunque una era el verbo, no eran primera, segunda y tercera, como las conjugaciones—, y no sé qué más sobre la eucaristía —que yo confundí con la carestía— y la doble especie de la comunión.

—Dios debía de estar borracho.

—Pero, pero —el párroco, colorado como un tomate— ¡qué tremendas herejías dices, hijo mío! Ay, ay, ay, ay, ay... ¿Y de dónde has sacado tú semejante idea?

—Pues..., si bebía vino... y no comía nada más que pan...

—¡Ave María Purísima!

—¿Qué son herejías, don Virgilio? —tercié, intentando mostrar interés.

—Ay, ay, ay, ay, ay...

Así que durante todo el verano, y eso significaba casi dos largos meses, cada martes y jueves a las seis de la tarde nos acercábamos en bici hasta el salón parroquial para que don Virgilio pudiera someternos al martirio indoloro de la evangelización. Y aun así se había negado a darnos la comunión en septiembre, como estaba previsto.

—No se hace usted idea, don Antonio, de la huella que una educación anticristiana, ¡qué digo!, ¡atea!, ha dejado en estas pobres criaturas —le repitió al Abuelo, mirando esta vez de reojo al Padre, que le había acompañado para las negociaciones.

A estas alturas el abuelo Antonio ya debía de hacerse una idea, pero acordó con don Virgilio un programa de catequesis por correspondencia, y le garantizó que para noviembre nos sabríamos de corrido el padrenuestro, el credo, el avemaría y la salve. Yo no quise dejarle mal, pero sabía que el Microbio se negaría en redondo.

La semana antes de la comunión, aprovechando que llovía, tuvimos una reunión de la célula en uno de los porches, a resguardo del agua. Les conté lo extraño que se me hacía, después de tantos años siendo el único exento de Religión. A los camaradas no les pareció tan dramático: al fin y al cabo, todos habían tomado la primera comunión hacía tres años, y la cosa tenía algunas ventajas.

—A mí me regalaron aquel reloj grande, ¿os acordáis? —sonrió Galindo, antes de torcer el gesto—. Pero luego me lo quitaron porque decían que me lo iba a cargar. Lo tiene mi madre guardado.

—Nosotros hicimos una fiesta de mil pares de cojones —dijo el Gordo Varela, que siempre sacaba a pasear el vocabulario de carretero.

—A mí me gusta ir a misa con mi madre. Se pone guapa y huele genial. Y luego nos tomamos una cocacola con boquerones —terció Joserra.

Pero yo no lo veía claro. Es verdad que la carta de la Madre decía que ya teníamos edad para decidir si queríamos tomar la comunión con conocimiento de causa. Que eso era lo que se nos pedía, que decidiéramos por nosotros mismos (aunque yo debía supuestamente ayudar al Microbio a hacerlo, ya que era el pequeño). Pero seguía sin verlo claro, porque el Padre no consideraba que nosotros tuviéramos nada que decidir. Era algo que habían arreglado entre él y el Abuelo. Sospechaba que el asunto tenía cierta importancia, y además el Padre solía tomarse la molestia de explicarnos las cosas. Así que finalmente acepté que lo que se nos pedía era algo así como un sacrificio. Y la verdad, puestos a sacrificar algo, no parecía tan malo vestirse de payaso, comerse una pastilla grande de pan insípido y recibir regalos por ello.

Con todo, un runrún molesto me impedía dejar correr el agua, así sin más.

—Algo habrá que hacer de todas formas, ¿no?

A la ermita de San Julián se llegaba por un camino que se revolvía entre zarzas, atravesando la vía del tren adonde nos acercábamos en los veranos con las bicis para plantar una moneda de peseta en uno de los raíles y dejar que el paso del convoy deformara el perfil redondo del general Franco, y finalmente una zona de prados que bordeaban la ría. Plantado sobre la superficie verde reluciente de lluvia, se alzaba un modesto edificio rectangular de sillares de piedra enjalbegados y cubierto de pizarra, los mismos materiales de la espadaña que alojaba la pequeña campana de bronce. Un pequeño atrio murado guardaba la anteiglesia, guareciendo a los fieles de las lluvias. En el interior, sorprendentemente bien iluminado por las hendiduras de tres arcos sobre los muros, un modesto altar de granito y un retablo de madera policromado con un Descendimiento tan torpemente tallado que la escala que se arrimaba a la cruz parecía casi un taburete. Cinco filas de bancos y un cura —el mismísimo don Virgilio— bajo los ropones bordados propios de la ocasión completaban la escena. Una beata que andaba por allí se hacía la remolona, imagino que por averiguar quienes éramos y qué pintábamos de aquella guisa en un momento tan impropio del calendario litúrgico. En cuanto vio al Abuelo ató cabos, y salió de la ermita perseguida por los ojos censores del párroco.

Detrás de él, al pie del retablo, nos situamos Jonás y yo con nuestros trajes de marineros de cara a la concurrencia, con un velón encendido entre las manos, serios pero en absoluto emocionados. La única que parecía tener una idea medianamente religiosa de lo que se estaba ventilando allí era la Abuela; la tía Lola parecía más preocupada por el vuelo del velo y los modales de su hijo y su marido —que cuchicheaban y se reían—; el Abuelo nos vigilaba con inquietud, el Padre miraba todo desde el último banco, sospecho que pensando incluso en escaparse fuera, y don Virgilio solo parecía querer liquidar el trámite lo antes posible. La ceremonia se prolongó lo justo, o aun menos. Una acogida a matacaballo, los Corintios de rigor —«La noche en que iba a ser entregado, el Señor Jesús tomó pan...»—, las oraciones y así hasta la segunda lectura del evangelio, que correspondía al Microbio.

Que empezó: «Yo soy la vid verdadera, y mi padre es el viñador. Todo sarmiento que en mí no da fruto, lo corta, y todo el que da fruto, lo limpia, para que dé más fruto. Vosotros estáis ya limpios gracias a la Palabra que os he anunciado. Permaneced en mí...».

Cada frase parecía costarle un mundo; el pasaje carecía no digo ya de entonación o solemnidad, sino de la más elemental ilación. El Microbio, que leía de sobra mucho mejor que eso, semejaba complacerse en pronunciar cada nueva palabra como si perteneciera a un idioma distinto del que había mamado desde pequeño. Descolocaba los acentos, se enredaba en las vocales dobles, tropezaba con los vocablos más sencillos y lo mismo se comía los puntos y seguidos que detenía la lectura donde consideraba que más oscura iba a resultar. Don Virgilio se iba poniendo colorado por momentos, a medida que le comía la sospecha de que todo era un numerito de mi hermano. Jonás, por si acaso, no levantaba la vista del texto para no ver —como veía yo de soslayo— al Abuelo removiéndose en el banco, con ganas de arrancarse hacia el altar y arrebatarle la Biblia a pescozones. Que fue, más o menos, lo que acabó por hacer don Virgilio cuando ya no pudo dominar los nervios, harto de ver que no surtía efecto el colocarse al lado del comulgante resiguiendo con el dedo sobre las escrituras, y corrigiéndole en un susurro a cada paso. Harto, conteniendo a duras penas la ira, apartó a mi hermano del atril, forzó una sonrisa que era una mueca, balbuceó una disculpa —«Normal, el rapaz está emocionado»—, me miró calibrando por un instante la posibilidad de endosarme a mí la tarea y finalmente decidió hacerse cargo de la lectura mientras Jonás se retiraba unos pasos y, semioculto tras las espaldas del oficiante, me buscaba con una sonrisa y un guiño.

«Si alguno no permanece en mí, es arrojado fuera, como el sarmiento, y se seca; luego los recogen, los echan al fuego y arden».

Yo le señalé el zapato. Allí, en un papel doblado cuatro veces, figuraba transcrita la fórmula aprobada por resolución de la célula, a propuesta del Lindo Galindo. Aún la recuerdo, y sé que también Jonás podría recitarla ahora de corrido:

Ni renuncio a Satanás, ni a sus pompas ni a sus honras, ni a la redención de la clase obrera (llamada también proletariado), que es la única religión que un camarada debe tener.

Cuando el otoño comenzaba a ponerse frío el patio del recreo se teñía de gris y se colmaba de abrigos, que dificultaban lo suyo los juegos habituales. Con la bajada de las temperaturas y la aparición de las nieblas los partidos de fútbol se iniciaban con la bufanda puesta, de mala gana, y se suspendían a menudo antes de concluir. Ni siquiera se podían cambiar cromos como es debido, con el tacto embotado bajo los gruesos guantes de lana, así que tocaba caminar a paso ligero por el patio, o refugiarse en los baños a charlar. Aquella era una de esas mañanas grises, una de tantas, y yo charlaba de no recuerdo qué con Joserra cuando irrumpió en el patio Arturo descompuesto, muy alterado, dando voces.

—¡Venga! ¡Todos a la fila! ¡Se acabó el recreo! ¡Todo quisque a clase!

Menudearon las protestas: «Pero si acabamos de bajar...», «Falta cuarto de hora», «Jopé». Se oyeron las habituales coñas de los de sexto, pronunciadas enmascarando la voz y de espaldas —«Arturo, lo tienes duro...»—, pero el rostro del vigilante dejó claro que la cosa no estaba para bromas. Enseguida aparecieron también los profesores, serios, inquietos. Cada uno se hizo cargo de su fila, formadas al abrigo de la lluvia, y tomamos camino de las aulas. Contagiados del nerviosismo, cruzábamos miradas y codazos cargados de curiosidad e incertidumbre mientras subíamos la escalera casi en silencio. Nos sentamos en los pupitres esperando que María, la profe de Inglés, nos dijera qué hacer. Los cuchicheos comenzaron a subir de volumen, y María mandó sacar el cuaderno para un dictado. Eligió sin prestar demasiada atención un libro del estante, vigilando de reojo el patio y, más allá, la calle tranquila que se divisaba desde nuestro ventanal. Pero no pasaba nada: había dejado de llover, y solo algún coche bajaba ocasionalmente camino del bulevar de Arturo Soria. Los matojos del descampado de enfrente estaban secos por dentro y empapados por fuera; el cielo, plomizo como correspondía a la estación y la hora.

María empezó el dictado, con una pronunciación británica teñida de esas sonoridades andaluzas que tanto me gustaban, pero a las tres líneas tuvo que interrumpirse ante los gemidos de protesta, los bolígrafos detenidos y las caras de desconcierto. El único que escribía como si tal cosa era James, el mediano de los Michaels, aunque, claro, era el único inglés de toda la clase.

—Vale, vale... Perdonad, ahora busco otro.

No llegó a hacerlo. Arturo entró en el aula, casi antes de que se apagara el sonido de los nudillos en la puerta, se dirigió al pupitre del profesor e intercambió tres o cuatro frases susurradas con María. Luego se marchó tan sombríamente como había venido.

—Chicos, escuchad con atención —pidió, como si hiciera falta—. Ha ocurrido una cosa muy grave, pero no tenéis que preocuparos ni asustaros. Son cosas graves para los mayores, pero a vosotros no os debe afectar. ¿Sabéis? Como cuando veis a papá o a mamá tristes, o preocupados por algo, pero os dicen que son cosas de mayores... Pues algo así. De modo que vamos a suspender las clases. Los que vengáis al cole andando, podéis volver a casa, siempre que estéis seguros de que haya alguien allí. Los que vais en los autocares tendréis que esperar un poco hasta que lleguen, o bien a que vengan vuestros padres a recogeros.

—Pero ¿qué ha pasado, María? —preguntó el Gordo Varela.

Dudó un instante antes de responder.

—Han matado al Presidente del Gobierno. A Carrero Blanco. Los de la ETA han tirado una bomba en el coche.

Estábamos acostumbrados a ver cosas parecidas en *Misión: Imposible,* así que no nos pilló de nuevas. Sabíamos de qué hablaban. Lo aterrador era el nerviosismo que reinaba entre los profesores, la decisión de suspender las clases y mandarnos a casa. ¿Para qué? Lo pensaba mientras recogía los cuadernos y el plumier para guardarlos en la cartera. Le dije a Joserra que mejor esperábamos al Microbio junto a la cancela. Recordé entonces haber visto en el periódico a Carrero Blanco: lo leíamos en clase de Sociales y Andrés se devanaba los sesos para explicarnos que aunque Franco seguía mandando, el nuevo presidente iba a ser el que gobernase. Recordaba perfectamente su estampa de hombrón bajo un abrigo de marino, las cejas espesas y la mirada más sombría que seria. Claro, que entonces los gobernantes rara vez sonreían para la prensa.

Andrés, que vigilaba la puerta de la calle, me pasó la mano por el pelo antes de dejarme salir.

—Venga, Manuel, tranquilo, que no es el fin del mundo.

—El fin del mundo no sé, Andrés —replicó Arturo, el vigilante—, pero lo que es seguro es que se va a liar una gorda.

El Microbio me miró, y supe lo que estaba pensando. Le eché la mano sobre el hombro y tiramos camino de casa.

El día que voló Carrero Joserra se quedó con nosotros porque sus padres estaban trabajando: la directora les había telefoneado e insistió en que regresáramos sin entretenernos por el camino. En casa nos esperaba Reme, que acababa de subir de la compra. Estuvimos haraganeando toda la mañana, montando el fort apache y leyendo tebeos, con la radio prendida y el teléfono sonando sin parar.

—No, el señorito no está en casa. ¿Le dejo algún recado?

A media tarde asomó el Padre para anunciarnos que aquella noche no dormiría en casa. No nos explicó por qué, ni tampoco preguntamos. No recuerdo que dijera adónde iba. Agarró una muda, estuvo rebuscando con expresión preocupada entre los papeles del despacho y salió con un paquete que dejó junto a la gabardina. Antes de irse pasó por el cuarto. Nos explicó que íbamos a estar bien, que en realidad no pasaba nada, pero que era mejor tomar algunas precauciones. Luego nos dio un abrazo a cada uno.

—Os llamo antes de la hora de dormir, ¿vale? Hacedle caso a Reme.

—¿Y la Madre? —preguntó Jonás—. ¿Van a hacerle algo a ella?

—Noooo, tranquilos. No va a pasar nada. De verdad.

—¿Y si nos lees un cuento ahora, ya que no vas a estar por la noche?

El Padre echó una ojeada al reloj, y caviló brevemente antes de conceder con un «Bueno». Jonás se plantó de un salto frente a la estantería, agarró el volumen de los hermanos Grimm y le pidió *El sastrecillo valiente*. Nos sentamos los tres en la cama, sobre la colcha de cuadros rojos y negros, mientras el Padre iniciaba la lectura. No llevó mucho, el cuento era corto y nos lo sabíamos de memoria, aunque hacía tiempo que esas historias me parecían cosa de pequeños. De hecho, hacía meses que el Padre no nos leía antes de acostarnos. Pero aquella tarde, imagino, todos queríamos creer que en verdad no iba a pasar nada malo.

Ya no regresamos al cole en lo que quedaba de aquel año. La Navidad estaba en puertas, así que disponíamos de tiempo para jugar, aunque el frío no invitaba a visitar el descampado. En los días siguientes el Padre volvió temprano a casa. La televisión cambió la programación, los locutores del telediario salían a antena con brazaletes negros y se respiraba temor y pesadumbre en las calles, pero el mercadillo de la Plaza Mayor seguía en su sitio y los preparativos de la Navidad seguían colmando de bullicio las calles. La Madre logró comunicar a través de su abogado, que llamó para decirnos que todo estaba tranquilo en la cárcel. Otro más que insistía en que no había motivo para preocuparse. También hablamos con el abuelo Antonio y con la tía Mari. Vendrían todos a pasar la Nochebuena en casa, lo que significaba regalos extras y fiesta. Entre unas cosas y otras, parecía que todo el mundo hubiera olvidado el sobresalto de aquel 20 de diciembre. La vida, dicen, sigue su curso.

Aquel año no hubo forma de encontrar los paquetes de los regalos antes de tiempo, por más que el Microbio y yo registramos minuciosamente bajo la cama de los Padres, en los fondos de los armarios, detrás de los sofás y hasta en el despacho del Padre. Nada, ni rastro. Tanto fue así que llegamos a temer lo peor.

—¿Y si no hay regalos, Manu?

—Pues si no hay, será que nos hemos portado mal.

—No digas tonterías. Siempre nos portamos mal, y siempre hay regalos.

—Ya. Pero otros años estaba la Madre en casa.

Al final, la sangre no llegó al río. Los Abuelos llegaron el día antes de Nochebuena a la estación del Norte. Nos recogió la tía Mari en casa, para ir a buscarlos en el taxi de Jenaro. Los Abuelos cruzaron la zona de andenes precedidos por el mozo de estación —uniformado, con placa y gorra, ¡cuantos uniformes en aquellos días!—, y el Microbio y yo escudriñamos con celo los bultos tratando de averiguar qué podía viajar allí dentro. Hasta tratamos de ayudar al mozo y al chófer a cargarlos en el maletero.

—¿Qué? —gritó el Abuelo—, ¿nos interesan más las maletas que las personas? ¡Valientes rapaces!

El Abuelo nos llevó una vez más a la Plaza Mayor en busca de alguna pieza nueva para el belén. Fueron tres mujeres: una pastorcilla que cargaba un cántaro de agua en la cabeza, una lavandera arrodillada con un trapo entre las manos y una vieja hilandera que daba vueltas a un huso blanco y puntiagudo. Como resultado incorporamos al nacimiento el riachuelo, que el Abuelo confeccionó arrugando papel de plata que colocó bajo un cristal disimulado tras la capa de serrín que representaba la arena de Palestina; así pudimos salvar al pobre pescador del ridículo que llevaba haciendo años al asomar la caña sobre el brocal del pozo.

Enredados en el montaje del belén andábamos cuando llegó el Padre. Nos contó —a todos, pues estaba aún la tía Mari y por supuesto los Abuelos— que traía buenas noticias del abogado. Al final habían autorizado la comunicación de Navidad. Al parecer, era habitual que en fechas señaladas autorizaran en la cárcel visitas extraordinarias, fuera de los locutorios, más largas de lo habitual. La Madre había solicitado una de esas comunicaciones, pero tras el atentado de Carrero las cosas estaban medio en el aire, en especial para los presos políticos. Pero finalmente la había autorizado: el día de Nochebuena, por la mañana, podríamos acudir el Microbio y yo a verla y a estar con ella nada menos que seis horas.

—¿Qué os parece, chicos?

Nadie nos había anticipado nada. Por no chafarlo, para no sembrar ilusiones, por lo que sea, pero el caso es que nos pilló del todo de sorpresa. Jonás me miró, desconcertado, y no pude evitar echarme a llorar.

Hizo falta la intervención de todos los mayores —Abuelos, el Padre, Mari y hasta Reme— para conseguir calmarnos, y aun así llevó un rato largo.

QUERIDÍSIMO:

Cuento las horas —serán horas, ¿verdad?— que faltan para verte, y abrazarte, y olerte, y ahora que ya casi pasó todo te puedo decir lo mucho que te he echado de menos. Y no tus bromas, o tu inteligencia —algo menor de lo que tú pareces creer, pero aun así notable—, sino el aroma de tu colonia, tus brazos, tus besos y, bueno, ya sabes, todo tú, físico y concreto.

Estoy segura de que lo has hecho de miedo con los peques. Lo noto en sus cartas, y lo comprobé con mis propios ojos en Nochebuena. ¡Pero bueno, cómo han crecido! Y yo me he perdido estos meses, aunque en cuanto salga pienso dedicarme en exclusiva a ponerme al día. Te decía que estoy segura de que, pese a tus dudas, lo has hecho fantásticamente bien. Como también Mari, y ahora Reme (siempre hace falta una mujer en casa). Tenemos que estarles agradecidos, Manuel, siempre, no olvidarlo nunca, así que sean cuales sean las razones de la marcha de mi hermana, puedes estar seguro de que nunca se lo tendré en cuenta. Los niños están bien y eso, querido, solo os lo puedo deber a vosotros.

Imagino que el regreso será duro; más que la misma cárcel, me temo. Aunque resulte difícil de creer, aquí no se está tan mal. Pero tranquilo, que no me quedan ganas de regresar. Ni una miaja.

Lo que quería decirte es lo orgullosa que me siento de ti y lo mucho que te quiero. Parece mentira que tengan que enchironarla a una para darse cuenta de algo tan elemental; bien pensado, lo mismo a ti también te venía bien una temporadita entre rejas (o entre rojas, si te traen a Yeserías).

Pues sí: pese a tus egoísmos, y tus vanidades de primero de la clase, y tus modales de carabinero, y todos tus defectos (que son legión), o quizá incluso precisamente por ellos, te quiero mucho. Un montón. Como la trucha al trucho. Eres un buen hombre, un buen padre y un marido... pongamos que bueno, también.

Y como estas cosas no se deben decir, me parece que no voy a llegar a meter esta carta en el sobre, ni menos a franquearla (que imagino que viene de que en los sellos sale siempre Franco). No, creo que me la voy a guardar.

Pero necesitaba escribirla.

Y darte un montón de besos y exprimirte entre mis brazos.

Sí. Y creo que va a ser muy pronto, así que prepárate.

ELISA

RECORDABA EL CAMINO DE CUANDO FUIMOS A «COMUNICAR» CON la Madre la Nochebuena. Nada me resultó tan chocante como entonces —era la primera vez—, aunque ahora era más temprano, el invierno más crudo, y la ocasión más feliz. Ni siquiera llegamos a entrar en la cárcel. Nos limitamos a esperar en el cuatrolatas, con el Padre y alguna gente más que rondaba por allí; policías también, siempre había policías en las cercanías en aquellos años, esos policías armados de largos capotes grises, mosquetón al hombro y banda roja en la gorra de plato color ceniza. Luego empezaron a percibirse señales de movimiento en la puerta de la prisión, no sabría decir qué tipo de señales, pero se diría que una corriente eléctrica comenzó a agitar a los que esperaban, activándoles, insuflándoles un nerviosismo casi palpable. El Padre, que fumaba su tercer Ducados al relente de la mañana, abrió la portezuela y gritó sonriente:

—¡Hale, chavales, ya salen!

Salían mujeres por la puerta de la prisión, todas envueltas en gruesas chaquetas de lana, con alguna bolsa de plástico o alguna maleta, poca cosa. La mayoría de las pertenencias, todo lo que pudiera resultar útil allí dentro, y fácil de reponer fuera, se quedaba para las compañeras que habían tenido peor suerte. Los rostros de las mujeres eran aún de presas: alertas, pálidos, desconfiados. A su alrededor, parientes y amigos se aupaban de puntillas, arrojaban el cigarrillo tras una última calada rápida, escudriñaban los rostros aturdidos y expectantes que iban saliendo casi en fila por el portón metálico. Por fin, carreras, los primeros gritos, abrazos, llantos... Las lágrimas se contagiaban aprisa: alguien había reconocido a una hija, una hermana, a los padres que esperaban, parados de ilusión y de vergüenza a partes iguales. Las que salían se abrían paso como podían entre la maraña de abrazos que se agolpaban frente al portón.

—Dejad salir, por favor...

Al fin, allí estaba la Madre. Tanto tiempo. No había transcurrido siquiera un año, pero había bastado para marcarnos a todos: a la Madre, una tristeza pausada que tardaría en sacudirse, que atravesaba incluso la alegría infinita con que nos abrazó y nos cubrió de besos, rodilla a tierra, hundida la cabeza entre las trencas, aturdida pero feliz. Como felices estábamos el Microbio —que no paraba de decir «mami-mami» mientras la abrazaba— y yo, que la apretaba fuerte para que no volviera a escaparse. Había sido de las últimas en salir, así que nadie nos atosigó con empujones, puesto que a nadie estorbábamos ya. Solo a los grises, que no tardaron en asomar para insistirnos en que despejáramos la zona. El Padre la rodeó con el brazo, la besó el pelo y agarró la bolsa de deportes con sus pertenencias. Echamos a andar hacia el cuatrolatas. Recuerdo que la Madre ni se volvió a mirar cuando nos alejamos. Jonás y yo, en cambio, apretamos la nariz contra el cristal de la perrera mientras se desvanecían los muros cenicientos de la prisión.

La vuelta a la rutina no fue como habíamos pensado. Descubrí entonces que nada vuelve nunca al mismo sitio, y aunque lo hiciera no encontraría allí a las mismas personas.

Técnicamente, la Madre abandonó Yeserías porque el fiscal del Tribunal de Orden Público había decidido no presentar cargos contra ella y otro par de personas más incluidas en el sumario. No sé hasta qué punto pesaron las razones jurídicas, pero sospecho que valieron más las gestiones del abuelo Antonio con sus antiguos camaradas, aunque nunca reveló qué hilos había tenido que mover. Solo supimos que antes de Navidad el asunto estaba encarrilado, y el atentado de Carrero Blanco lo había parado todo. Después de las fiestas las aguas parecieron volver a su cauce, y la tensa tranquilidad de los treinta y tantos años de paz del franquismo dejó de nuevo un resquicio para las gestiones del Abuelo. La Madre nunca quiso saber cómo había ido la cosa: de hecho, la única vez que la vi romper algo en un rapto de furia —un pesado cenicero de cristal que se hizo añicos contra el suelo— fue cuando el Padre insinuó algo al respecto en el curso de una de las pocas broncas que tuvimos ocasión de presenciar.

La Madre tuvo que buscar otro trabajo; en el instituto donde daba clases estaba de interina, y no le habían guardado el puesto. Algunos compañeros asomaron una tarde por casa, pero aparte de maldecir al jefe de estudios, y la situación del país en general, nada pudo hacerse. Por suerte, un amigo de la familia había comenzado a trabajar en una editorial que empezaba a publicar una especie de historia universal del arte, profusamente ilustrada con láminas a todo color, según rezaba el folleto. La obra venía de Italia, y los textos debían traducirse al castellano; la Madre sabía algo de italiano, había empezado ya con traducciones en la cárcel, y se puso a trabajar en casa, rodeada de diccionarios y tecleando frenética una Olivetti verde recién comprada. Al Padre, por otro lado, no le iba nada mal en la agencia, así que tampoco es que hubiera problemas de dinero.

Lo que sí había eran discusiones. Ignoro si también las tenían antes de la prisión de la Madre: desde luego, el Microbio y yo —lo hemos hablado alguna vez— no las recordamos. Tampoco vinieron de inmediato, aunque sí muy pronto. Tal vez unas semanas después de la salida de la cárcel. Los motivos, de lo más peregrinos: dinero, política, amigos comunes a los que se veía demasiado o demasiado poco, las pocas ganas de la Madre de salir de juerga como antes, las muchas horas de trabajo del Padre, las vacaciones, nuestros estudios, el trabajo de Reme... Hasta el Microbio empezó a darse cuenta de que los motivos para discutir eran meras excusas y que las razones eran otras, desconocidas pero poderosas.

Las primeras lágrimas que derramó la Madre tuvieron que esperar a que llegáramos a casa. Allí nos esperaban el Abuelo, la tía Mari, Amalio, Xavi y unos pocos amigos más. Alguien había llevado champán, y a los niños nos dejaron mojarnos los labios para brindar. Aun así, una especie de tristeza pegajosa empapaba la celebración. Todos estábamos felices de ver a la Madre, todos queríamos tocarla y abrazarla —Jonás no se despegó de su lado en todo el día—, pero de vez en cuando se colaba una tristeza honda y extraña en la reunión. La Madre pretextó cansancio, y Amalio habló de las emociones del día, pero yo tenía, y creo que aún tengo, un olfato aguzado para la tristeza.

Al cabo de un rato Reme preguntó para cuántos tenía que preparar comida, y la mayoría de los presentes —incluida la tía Mari, pese a la insistencia de su hermana— comenzó a excusarse. Al final se quedó solo el Abuelo, aunque no tardó en marcharse después de echar la siesta.

Fue justo después de comer cuando la Madre salió a la terraza, con la casa ya en calma. Fumaba pausadamente, mirando al horizonte ralo de ladrillos y acacias del barrio, se diría que disfrutando del frío de la tarde. Del aire libre, imagino.

Al principio no cayó en la cuenta. Supongo que a nadie se nos había ocurrido decírselo, aunque sabíamos del cariño que les tenía a esas plantas. O tal vez por eso mismo. Desde que se había ido la tía Mari, las jardineras con las yedras se las había comido el pulgón, y el Padre había decidido cortarlas casi a la altura de la tierra. Nadie había sabido cuándo recortar los geranios, que habían crecido anárquicos y sin flor, como escobajos solo levemente verdes. Las heladas se habían cargado no sé qué otras flores que la Madre solía abrigar con mimo en el salón.

Yo estaba dentro, pero la vi a través de las cortinas. La vi tirar la colilla a la calle, agacharse entre las macetas y romper a llorar.

Este libro está dedicado a un buen puñado de buena gente.
A los Padres, in memóriam.
A todos los camaradas de todas las células.
A Carlos, el último de los putos mohicanos.
A Daniel, Javier, Pablo, Iván y Fernando, el futuro.

ÍNDICE